ROYAUME
DES CORAUX

VERS L'ATOLL
DU GUÉRISSEUR

PLAGE
DORÉE

PIERRE D'ALGUE
La cité disparue

GROTTES
SOUS-MARINES

PHARE

ÎLE DE LA
LUNE

S0-AXJ-387

Les Princesses
du Royaume
de la Fantaisie

Texte de Téa Stilton.
*Basé sur une idée originale d'*Elisabetta Dami.
Coordination des textes de Serena Bellani, *avec la collaboration de* Benedetta Biasi.
Coordination éditoriale de Patrizia Puricelli.
*Édition d'*Antonella Lavorato.
Coordination artistique de Roberta Bianchi.
Assistance artistique de Lara Martinelli.
Dessins originaux des Princesses du royaume de la Fantaisie de Silvia Bigolin.
Illustrations de Silvia Bigolin.
Illustrations des «Secrets de Kaléa» de Silvia Fusetti,
avec la collaboration de Silvia Bigolin.
Cartes de Carla Debernardi.
*Couverture d'*Iacopo Bruno.
Projet graphique et mise en pages de Marta Lorini.
Traduction de Béatrice Didiot.

www.geronimostilton.com

Pour l'édition originale :
© 2009, Edizioni Piemme S.p.A. – Corso Como, 15 – 20154 Milan, Italie
sous le titre *Principesse del Regno della Fantasia 2 – Principessa dei coralli*
International rights © Atlantyca S.p.A. – Via Leopardi, 8 – 20123 Milan, Italie
www.atlantyca.com – contact : foreignrights@atlantyca.it
Pour l'édition française :
© 2014, Albin Michel Jeunesse – 22, rue Huyghens, 75014 Paris
Blog : albinmicheljeunesse.blogspot.com
Loi n° 49-956 du 16 juillet 1949 sur les publications destinées à la jeunesse
Dépôt légal : premier semestre 2014
Numéro d'édition : 20856/02
ISBN-13 : 978-2-226-25490-0
Imprimé en France par Pollina S.A. en mars 2017
Numéro d'impression : L80309

Stilton est le nom d'un célèbre fromage anglais. C'est une marque déposée de Stilton Cheese Maker's Association. Pour plus d'informations, vous pouvez consulter le site www.stiltoncheese.com

Téa Stilton

PRINCESSE
des CORAUX

ALBIN MICHEL JEUNESSE

Personnages

❧ La princesse Kaléa ❧

Elle gouverne le royaume des Coraux. Douce
et ingénue, elle serait capable de s'attacher
à une personne feignant d'être son ami.

❧ Purotu et Naéhu ❧

Ce sont les frères de cœur de Kaléa.
Bien qu'ils soient presque identiques
physiquement, ils ont des caractères
très différents. Tous deux sont
extrêmement proches de la
princesse des Coraux.

❧ Tiaré ❧

Jardinière de la cour,
elle est la meilleure amie de Kaléa.
Elle veille sur le labyrinthe végétal
qui entoure Fleur d'oubli.

Émiri

Le cuisinier du palais est un homme grand
et robuste, au regard placide et bon.
Il a pour assistants quatre perroquets,
qui hachent la nourriture comme
de vraies petites machines !

৯ Khalil Zaba ৫

Ce mystérieux jeune homme vient du
lointain royaume du Désert. Spécialiste
des plantes et amoureux de la mer, il fait
naufrage sur le rivage de Fleur d'oubli.

Garcia

L'orque royale de Fleur d'oubli
est l'inséparable compagnon de Kaléa
dans ses plongées sous-marines. Ensemble,
ils font de longues promenades en mer.

৯ Moéa ৫

De bon conseil,
la gardienne du phare
de l'île de la Lune est
la confidente de Kaléa.
La princesse s'adresse à
elle comme à une mère.

৯ Le guérisseur ৫

Connaissant tous les secrets des substances
thérapeutiques et des herbes médicinales,
le guérisseur soigne la population du royaume
des Coraux. C'est le grand sage de la cour.

Nous voici arrivés !

Après avoir longuement navigué dans la mer des Passages, nous sommes enfin parvenus au royaume des Coraux. Des centaines d'atolls, parfois minuscules, entourent trois plus grandes îles. Vous les apercevez ? Elles sont très proches l'une de l'autre. La plus vaste se nomme l'île du Soleil : avec ses innombrables dunes et ses palmiers, elle ressemble à un gâteau couronné de bougies.

Au centre du royaume se dresse une île hérissée de hautes falaises que domine un phare. Vous ne serez guère étonnés d'apprendre qu'il s'agit de l'île de la Lune. Un endroit singulier, vous comprendrez bientôt pourquoi.

Plus au sud se trouve l'île des Étoiles, qui abrite le palais royal de Fleur d'oubli, où débute notre histoire. Là, au cœur d'un jardin luxuriant et à l'abri d'une haie quelque peu particulière – en fait, un véritable labyrinthe –, vit la princesse Kaléa, entourée de ses frères ainsi que de sa cour. À quoi peut bien servir un labyrinthe ? Peut-être à protéger un trésor…

Dans l'île, on en compte au moins deux, mais ne vous lancez pas à leur recherche seuls, car une fois entrés dans ce dédale, vous aurez le plus grand mal à en sortir !

Il vous intrigue, je le sais, mais vous devrez attendre encore un peu avant de vous y enfoncer, car notre histoire commence complètement ailleurs. Armez-vous de patience et redoublez d'attention pour déceler jusqu'aux indices les mieux cachés de ses énigmes, ceux que le vent se hâte d'emporter.

Et… si d'aventure il vous arrive de surprendre d'étranges poèmes tracés sur le sable, empressez-vous de les lire et retenez-les avant que la brise ne les efface. Celui qui les a écrits sera un jour un grand poète. Mais de qui s'agit-il ?

Vous le découvrirez en lisant cette histoire. Pour l'heure, assurez-vous que vous avez tout le nécessaire pour ce nouveau voyage au royaume de la Fantaisie.

Kaléa et sa cour nous attendent !

Téa Stilton

PREMIÈRE PARTIE

1
Le chercheur d'algues

L'océan s'étendait, calme et rassurant, tel un miroir prêt à refléter les premières lueurs de l'aube. Sous la surface, immergé dans les profondeurs marines, un garçon nageait, plus agile qu'un poisson, sûr de son chemin. Son corps svelte et vif glissait promptement d'une roche à l'autre.

Plusieurs fois, il remonta pour prendre de l'air, gonfla ses poumons en une profonde inspiration et replongea sous l'eau. Le fond rocheux était parsemé de poissons et de plantes multicolores. La barrière de corail recelait un monde bigarré, riche de vie mais aussi de secrets. Le garçon traversa des bancs de poissons grands ou minuscules, qui dessinaient devant lui d'insolites

figures argentées : un visage souriant, un coquillage, une anémone. Le voyant arriver, un gros poisson jaune tenta de se cacher dans un rideau d'algues brunes aussi hautes que des arbres, mais ce n'est pas lui qui intéressait l'adolescent.

Ce dernier continua à nager sans s'arrêter. Il se fraya un chemin à travers la végétation extrêmement luxuriante, jusqu'à atteindre le rocher qui le séparait de Pierre d'algue, la cité engloutie.

Enfouie dans les coraux, elle semblait se déployer à l'infini. Sur le fond gisaient des statues représentant des femmes drapées dans de longs vêtements, des guerriers armés de casques et de boucliers, des grandes raies et des dragons de mer. Plus loin se profilaient les vestiges d'anciens palais. Leurs marbres brillaient encore, même si les colonnes des temples s'étaient couvertes d'une fine pellicule verte voilant leur majesté d'antan.

Le garçon longea des ruines de colonnes entassées comme des dominos. Il s'arrêta devant l'entrée d'une construction encore intacte, et, rapide comme une anguille, en franchit l'imposante porte, qui n'avait plus qu'un battant en fer.

Au-delà de son linteau, orné de sarments de vigne et de fruits, une immense salle bordée d'une colonnade

12

s'offrit à sa vue. Ses poumons commençant à le brûler, le garçon traversa le salon plus vite encore et s'engagea dans un couloir serpentant sur plusieurs mètres tel un labyrinthe.

Enfin, il atteignit un petit espace carré, pavé de lourdes plaques de marbre. Seul un petit pied d'algue rouge dardait entre elles. En le découvrant, les yeux du garçon s'illuminèrent. Il tira un couteau de la ceinture de cuir qui lui enserrait la taille et en tailla quelques lames. Puis il ferma les yeux un instant et murmura une prière de remerciement.

Le chercheur d'algues

Sa cueillette à la main et les poumons au bord de l'implosion, il refit tout le chemin en sens inverse. Abandonnant la cité engloutie de Pierre d'algue, il s'empressa de remonter à la surface.

Alors enfin, il put à nouveau respirer. Après avoir repéré sa barque, il replongea en se laissant porter par le courant et émergea peu après dans l'ombre de celle-ci. S'agrippant au bord de l'embarcation, il se hissa à son bord.

Ses mouvements étaient prompts et souples. Sa physionomie était fluette mais musclée. Sa peau, assombrie par le soleil et constellée de gouttes d'eau, brillait. Il s'immobilisa un moment pour se reposer. Sa respiration haletante s'apaisa progressivement, et quand son rythme fut redevenu normal, il remonta l'ancre, saisit une pagaie et rama en direction du soleil. Ses yeux sombres fixèrent l'aube naissante, le moment de la journée qu'il préférait. L'horizon se teinta d'or.

Ah ! Son émotion était particulièrement vive, car c'était le début d'un grand jour, celui de la joute la plus importante des îles : la pêche au Poisson d'or. Et le jeune Purotu était résolu à la gagner.

2
La princesse Kaléa

Purotu parcourut d'un pas régulier la longue allée de palmiers qui menait au palais. Un imposant portail en corail, garni de motifs ornementaux et flanqué de deux énormes hibiscus en pot de couleur orange, en marquait l'entrée. Le nom vaguement mélancolique du palais, Fleur d'oubli, avait été choisi par le Roi sage, le père de celle qui gouvernait désormais le royaume des Coraux : la princesse Kaléa. Et ce choix n'avait pas été le fruit du hasard.

Bien des années plus tôt, le souverain avait ordonné qu'une haie de protection soit plantée tout autour de l'édifice. Celle-ci n'avait rien de commun avec les haies ordinaires : bien qu'elle ne fût, en apparence, composée

que de fleurs, elle avait, en poussant, pris la forme d'un labyrinthe touffu. Certaines de ses fleurs dégageaient un parfum enivrant, capable d'étourdir et de faire défaillir tout visiteur importun. Et l'on disait que c'était la haie elle-même qui choisissait ceux qu'elle laissait passer et ceux qu'elle rejetait, après les avoir abrutis avec ses émanations.

Mais ce n'était certainement qu'une légende (a-t-on jamais entendu parler de fleurs qui dirigent les allées et venues ?) ; en outre, Purotu n'avait rien à craindre, car il faisait partie de la cour.

À son passage, la haie se tenait aux aguets derrière les rangées de palmiers en diffusant une odeur douce et intense... rien de plus.

Dès que le garçon franchit le portail rouge, il l'aperçut. La princesse Kaléa n'était qu'à quelques pas de lui.

– Purotu !

– Kaléa...

– Heureusement, te voici ! Je commençais à m'inquiéter ! dit-elle en souriant et en s'élançant à sa rencontre.

Purotu lui renvoya son sourire : bien que la jeune fille fût à peine levée, son visage était frais et radieux. La simple vue de ses cheveux roux, hérissés de mèches rebelles, engendrait la bonne humeur. Enfin, la gaieté qu'exprimaient ses yeux bleus, brillants comme des

pierres précieuses, et son expression tendre et caressante étaient contagieuses.

– Tu t'es réveillée tôt, ce matin ! observa Purotu.

Quelques gouttes d'eau salée tombaient encore des algues restées accrochées à ses vêtements.

– Je me faisais du souci pour toi, petit frère…

Au-dessus de son long nez fin, les sourcils du garçon se froncèrent.

– Simplement «… mon frère», si ça ne te fait rien. Tu sais que je n'aime pas que tu m'appelles autrement… petite sœur ! dit-il ironiquement.

– Ce que tu es susceptible ! répliqua Kaléa d'un ton amusé. Vraiment trop !

Elle savait à quel point Purotu tenait à son statut d'adolescent, surtout dans un royaume dépourvu de roi, comme c'était le cas de ces îles.

– Alors, l'as-tu trouvé ? demanda-t-elle.

Sans rien dire, Purotu ouvrit la main gauche. La précieuse algue rouge reposait dans sa paume.

– Tu es fantastique ! s'enthousiasma-t-elle.

– Tu en doutais ?

– Bien sûr que non !

– Mais tu te sens plus tranquille maintenant, n'est-ce pas ?

La princesse Kaléa

Un pétillement dans les yeux de Kaléa fournit la réponse au garçon.

– Dis la vérité, sœurette ! Tu t'inquiétais bien plus à la pensée que je ne trouve pas l'inestimable aliment qui appâtera le Poisson d'or que pour ma petite personne !

– Mais enfin, que dis-tu ? pouffa Kaléa. Évidemment que je m'en faisais pour toi ! Et comme te voilà heureusement rentré sain et sauf, et surtout avec notre algue, je peux aller me préparer, comme il sied à une princesse !

– Je ne crois pas un traître mot de ce que tu viens de dire.

– C'est ton problème, frérot !

– Tu es terrible !

– C'est toi qui oses dire ça !

Tous deux se séparèrent, sans cesser de se disputer. Kaléa et Purotu avaient des personnalités fortes et déterminées. Il leur arrivait donc souvent de s'affronter par jeu.

Kaléa se dirigea vers ses appartements, situés dans l'aile sud du palais, tandis que Purotu prenait la direction des cuisines.

~*~

La princesse Kaléa

Le palais de Fleur d'oubli avait été conçu, bien des années plus tôt, pour s'harmoniser pleinement avec la nature environnante. Grâce à ses nombreux espaces et galeries ouverts, on pouvait, depuis n'importe quelle pièce, contempler la mer. La salle du trône elle-même n'était pas close : des arcades et un jardin entouraient l'auguste siège, taillé dans la pierre des grands écueils sur lesquels se brisaient les vagues de la mer des Passages. Orientées au sud, les chambres se situaient dans l'aile la plus ensoleillée et la plus agréable à vivre pendant

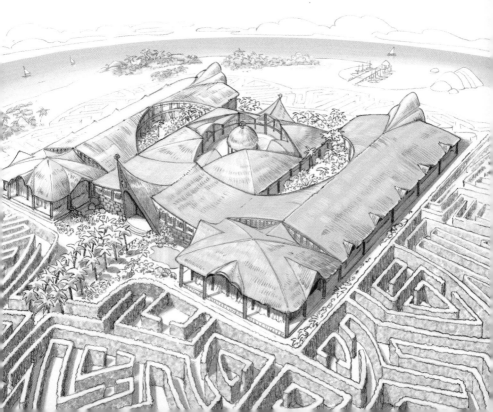

la saison humide, tandis que les salons et les cuisines, qui donnaient au nord, étaient plus exposés au vent et remarquables par la vue qu'ils offraient sur les autres îles.

Dans les cuisines officiait déjà le cuisinier de la cour, Émiri, occupé à détailler une montagne de fruits pour préparer la coupe que la princesse dégustait, chaque matin, au petit déjeuner. C'était un homme imposant : gros et charpenté, il avait de si larges mains qu'une noix de coco y tenait tout entière. Ses grands yeux étaient généreux et limpides, comme sa fameuse soupe de poisson, aimait-il à dire.

– Bonjour, Émiri ! le salua Purotu.

– Bonjour, mon garçon ! Excuse-moi, mais je n'ai de temps pour personne aujourd'hui ! Je suis en retard, terriblement en retard… répondit le maître-queux.

Puis, s'adressant à ses fidèles et vaillants assistants, quatre loriquets à tête bleue, il lança :

– Dépêchez-vous avec ces pistaches ! Je veux que vous les réduisiez en une poudre très fine !

Dès lors, les petits perroquets redoublèrent d'effort pour broyer les fruits secs dans leurs becs jaunes et affilés. La pièce fut envahie par le bruit répétitif de coques fendues à toute vitesse.

L'activité des collaborateurs d'Émiri n'était pourtant pas le plus étonnant. Plus stupéfiante encore était la grâce avec laquelle les doigts énormes et en apparence malhabiles du cuisinier composaient des plats incroyablement raffinés.

Purotu se choisit un coin rien qu'à lui, éloigné d'Émiri et de ses perroquets broyeurs de pistaches. Il dénicha une jatte profonde et se mit à préparer une pâte élaborée, à laquelle il n'ajouta qu'à la fin l'ingrédient rapporté de Pierre d'algue. Ses gestes étaient précis et appliqués, comme pour un rituel.

Depuis que la recette de l'appât destiné au Poisson d'or lui avait été solennellement confiée, il lui revenait de s'assurer que l'alimentation de l'animal serait savoureuse. Et que celui-ci, une fois capturé, jouirait d'une bonne santé pendant toute son année de vie. Ainsi éminça-t-il très soigneusement l'algue rouge afin que le résultat soit parfait.

3
Naéhu

aéhu aussi s'était réveillé de bonne heure et se dirigeait vers les cuisines du palais. Ses précédentes tentatives pour pêcher le Poisson d'or ayant toutes misérablement échoué, il ne comptait pas participer à la joute. D'ailleurs, un seul poisson avait échoué un jour dans ses filets… par le plus pur des hasards. Le garçon n'en ressentait pas moins l'émotion engendrée par la perspective de cet événement extraordinaire, auquel il contribuerait à sa façon, puisqu'il était poète.

Pour lui, sa vocation n'avait jamais fait de doute, mais il n'avait trouvé le courage de lire ses compositions en public qu'au cours des derniers mois. Lui et Purotu

étaient jumeaux mais, à la différence de son frère, Naéhu avait un tempérament doux et réservé, et il ne recherchait ni la gloire ni la popularité. De même, tandis que Purotu, courageux et impulsif, aimait la mer et la pêche, Naéhu, paisible et rêveur, préférait passer son temps à lire et à écrire des vers. Ils devaient avoir tout au plus treize ou quatorze ans… Personne ne le savait précisément, car quand on les avait trouvés à bord d'un bateau au large de l'île de la Lune ils portaient encore des langes. On racontait qu'ils étaient les uniques survivants d'une bataille navale intervenue bien des années plus tôt, ou d'un naufrage, quand on ne les tenait pas carrément pour les «fils des flots». Quelle que fût la vérité, nul ne l'avait jamais découverte, et ils avaient grandi au palais comme les frères de la princesse Kaléa.

– Bonjour, Émiri, bonjour, Purotu ! salua-t-il en entrant dans les cuisines, un livre et son inséparable carnet de poèmes sous le bras.

– Oh, non, mon garçon ! gémit aussitôt le cuisinier,

quelque peu agité. J'ai beaucoup de travail aujourd'hui. Laisse-moi tranquille, si tu le peux… et ne distrais pas mes perroquets !

Naéhu sourit d'un air gêné sans trop se formaliser : connaissant la brusquerie d'Émiri, il avait appris à passer outre. Tout en veillant à ne rien toucher, il se dirigea vers son frère. Purotu leva à peine les yeux de la table à laquelle il cuisinait.

– Salut, Naéhu !

Comme à son habitude, le jeune poète était impeccablement vêtu : il portait une élégante tunique de soie bleue, agrémentée d'une écharpe sombre. Sa peau, bien plus claire que celle de son frère et fleurant l'encens et la vanille, soulignait la profondeur de ses yeux noirs et l'intensité de son regard silencieux.

– Tu es déjà au travail ? s'enquit-il en fixant avec un certain dégoût la pâte dans le récipient.

– J'ai presque fini.

– Je suis désolé de ne pas t'avoir aidé, cette année non plus. S'il y a quelque chose que je peux faire…

– Non, ne t'inquiète pas, répondit Purotu en souriant et en tendant les bras pour l'empêcher de toucher quoi que ce soit – de fait, la gaucherie de Naéhu concernant les tâches pratiques était notoire. Le poème que tu as

Naéhu

écrit pour l'inauguration de la joute me récompensera de mes efforts !

– J'espère qu'il te plaira !

– Nous l'aimerons tous, tu verras ! Et maintenant, si tu veux bien m'excuser, j'ai besoin de la farine.

Naéhu recula maladroitement, bousculant Émiri.

– De l'air, vous deux ! rugit celui-ci, dont la salade de fruits reposait en équilibre précaire sur une feuille de banane séchée. Laissez-moi travailler !

Naéhu s'aplatit contre le mur dans l'espoir d'être ignoré.

– Kaléa est debout ? demanda-t-il à son frère.

– Oui, je l'ai vue un peu plus tôt. Elle s'inquiétait pour moi… répliqua Purotu.

– Comme toujours.

– Ce pourrait aussi bien être pour toi, frérot !

– Ce n'est pas moi qui lui cause du souci en plongeant dans les ruines de Pierre d'algue ! rappela Naéhu avec comme une pointe de reproche.

Purotu l'écoutait patiemment. Ce n'était pas la première fois que son frère et lui se battaient pour l'attention de Kaléa.

Pendant ce temps, son couteau éminçait un fruit, qui s'ajouta à la préparation.

– La vérité est que la princesse se tracasse toujours

pour nous. Elle joue à la grande sœur, comme si, sans son intervention…

– Ça te gênerait de te pousser de là ? J'ai besoin de la poudre de coquille de perle ! l'interrompit le cuisinier.

Sursautant, Naéhu fit un pas de côté.

– Oh, pardon !

– Du vent ! Du vent ! hurla alors Émiri. Les petits filets de limande que vous êtes ont certainement besoin de s'aérer !

Purotu éclata de rire, tandis que Naéhu optait pour un retrait empreint de dignité.

– Je crois que… eh bien… que je vais aller lire dans le jardin, bougonna-t-il.

– Très bien. Je t'appellerai quand j'aurai terminé, dit son frère.

« C'est ça, pensa Naéhu, quand tu auras fini de mélanger de l'algue, de la farine et des fruits pour en faire une horrible mixture puante ! »

Naéhu

Il partit en direction du grand couloir. Les cloisons du palais, tout en paille tressée, étaient soutenues à intervalles réguliers par des piquets d'un ton plus sombre. Des statues en bois et en sable durci jalonnaient le chemin tels de silencieux gardiens. Partout, des bouquets de fleurs séchées aux multiples couleurs garnissaient des pots en terre cuite. Sujets et serviteurs se livraient à un incessant va-et-vient pour s'efforcer de contribuer au succès de la fête.

Naéhu dépassa rapidement la salle du trône et se dirigea d'un pas pressé vers le jardin. Une fois sur place, il respira profondément et calmement. Il put alors se délecter de l'enivrant parfum du labyrinthe végétal, qui l'enveloppa dans ce qui ressemblait à une étreinte. Il aimait cette sensation. À Fleur d'oubli, il se sentait chez lui comme nulle part ailleurs, mais les jours tels que celui-ci, il ne parvenait pas à y trouver sa place, un lieu où il pouvait rester tranquille et être soi-même. L'effervescence générale semblait avoir gagné jusqu'aux palmiers séculaires, qui s'agitaient bruyamment au gré des rafales de vent. Avec un soupir, il s'allongea à l'ombre et relut le poème qu'il avait composé pour l'inauguration. Il en murmura les paroles, comme si la brise allait les porter vers la mer, qui sait jusqu'où.

4
La grande épreuve de la pêche

Pour assister à la joute, Kaléa revêtit sa robe préférée, qui lui descendait jusqu'aux pieds. Le jupon était un assemblage d'algues pressées, constellées de perles et de minuscules coquillages tintinnabulant à chacun de ses pas. Une ceinture de coquillages un peu plus grands et tous rigoureusement blancs le maintenait à la taille. Au-dessus, une précieuse et délicate dentelle de fleurs colorées tenait lieu de bustier. Enfin, elle avait attaché ses cheveux avec une barrette en nacre rose, qui ressortait sur ses boucles rousses comme une pierre prise dans de la lave.

Comme elle était en retard, la princesse sortit de sa chambre à toute allure.

La grande épreuve de la pêche

Dans la salle du trône, Ina, le plus grand lézard femelle du royaume, enroula sa queue et baissa la tête en signe de respect, aussitôt imitée par ses très fidèles assistantes domestiques. Responsable de l'entretien à Fleur d'oubli, elle dirigeait une équipe qui, grâce à sa capacité à grimper aux murs, parvenait à nettoyer jusqu'aux espaces les plus inaccessibles du palais, tels les plafonds. En voyant ses servantes figées comme des statues, Kaléa ne put réprimer un sourire.

La grande épreuve de la pêche

– Repos ! Détendez-vous ! leur ordonna-t-elle. Avez-vous vu mes frères ?

Ina trottina vers elle et, ondulant élégamment du cou, tourna la tête vers le jardin, où Purotu, chargé d'une grande jatte, avait disparu. Quant à Naéhu, il se trouvait près de l'une des entrées du labyrinthe.

– Les garçons ! appela-t-elle. Il faut vous dépêcher ! Est-ce que tout est prêt ?

Purotu arriva en fronçant le nez.

– Que se passe-t-il ? lui demanda la princesse.

– Cette année, l'appât ne sera malheureusement pas à la hauteur de ceux des années précédentes. Je crains que l'algue rouge ne traverse une mauvaise passe… expliqua-t-il, affligé.

L'éclat des yeux de Kaléa s'éteignit un instant, puis le sourire revint sur ses lèvres roses.

– Ne t'inquiète pas : tout ira bien, cette fois encore !

– Je l'espère…

Les deux frères échangèrent un regard.

– On y va ?

– Kaléa, tu es ravissante… osa Naéhu, dans un murmure embarrassé.

Lui prenant le bras, la princesse répondit :

– Merci ! Tu es gentil… comme toujours ! La fille que

La grande épreuve de la pêche

tu rencontreras aura bien de la chance ! Et à présent, partons ! On nous attend depuis un moment déjà sur la plage Dorée !

Purotu ramassa un volumineux étui.

– Et ça, qu'est-ce que c'est ? s'enquit Kaléa, intriguée.

Son frère haussa les épaules.

– J'y avais rangé tous les morceaux d'une canne à pêche spéciale que j'ai fabriquée pour la joute. J'ai fait tremper pendant six jours de l'écorce de palmier dans l'eau du lac de l'île de la Lune, que j'ai ensuite laissée sécher pendant dix autres jours. Et j'ai veillé à polir l'os servant d'hameçon pour ne pas blesser le poisson.

– Excellent ! Et où se trouve cette canne spéciale à l'heure qu'il est ?

– C'est une surprise… répondit énigmatiquement Purotu. Elle est déjà à bord de ma barque, sur la plage Dorée. Tu la découvriras pendant l'épreuve.

L'air réjoui, Kaléa serra encore davantage le bras de Naéhu et s'engagea dans l'allée de palmiers.

Tous trois parvinrent à un petit port, où seules quelques pirogues étaient encore amarrées, dont celle de la maison royale.

Un couple de pêcheurs attendait la princesse et ses deux frères, pendant qu'une jeune fille aux longs

cheveux sombres, debout en haut du ponton, tressait une couronne de fleurs.

C'était Tiaré, la jardinière et meilleure amie de Kaléa. À Fleur d'oubli comme dans tout le royaume, on l'appelait la « fille des fleurs ».

– Tiaré, quelle merveille ! s'exclama Kaléa en la rejoignant.

Rapides et assurés, les doigts de la jeune fille passaient une tige sous une autre, puis autour de la tige voisine sans même effleurer le nuage délicat et parfumé des pétales.

– Bonjour, princesse Kaléa ! répondit Tiaré.

Et avec la même délicatesse, elle déposa son ouvrage sur le sol et s'inclina profondément.

– Le vainqueur de l'épreuve sera flatté de porter une aussi belle parure ! la complimenta Kaléa.

– Tu es trop aimable, princesse, la remercia humblement Tiaré.

Dotée d'une sensibilité particulière à l'égard des plantes, la jeune fille savait créer des compositions végétales d'une rare beauté. Elle était capable de reconnaître n'importe quelle fleur rien qu'en la humant, et évoluait dans le labyrinthe sans jamais se tromper. D'ailleurs, c'est elle-même qui l'avait réalisé, sur ordre du Roi sage.

La grande épreuve de la pêche

Tiaré savait aussi produire de merveilleuses essences parfumées. Elle les conservait précieusement dans une série de petits flacons en verre et de bols en écorce de noix de coco et en feuille de bananier rangés dans sa chambre. Les fragrances qu'elle concevait étaient renommées dans tout le royaume. Il y en avait de toutes sortes : subtiles, intenses ou vaporeuses. Sa fantaisie n'avait pas de limite.

– Désolée, Tiaré, mais il faut qu'on file ! s'excusa Kaléa.

Le visage de la jardinière s'éclaira et elle attendit patiemment que les trois jeunes gens s'éloignent. Quand leurs silhouettes et leurs effluves eurent disparu, elle se dirigea vers le jardin. Dans l'air continuait de vibrer la force de leurs sentiments : l'enthousiasme mais aussi la tension liés à cette journée. Tiaré avait appris à se fier aux diverses odeurs, aux humeurs et aux nuances des parfums qui imprégnaient l'atmosphère. Une capacité de perception que la majorité des gens avait perdue.

5
Une mauvaise blague

omme ils l'avaient imaginé, l'île du Soleil, la plus vaste et sablonneuse du royaume, était bondée.

La princesse Kaléa arriva à bord de la pirogue royale, une longue embarcation taillée dans un gros tronc de palmier.

Ainsi que le voulait la tradition, des scènes de pêche en rouge et bleu, les couleurs du royaume, étaient peintes sur sa coque. Et sa proue était dorée comme les écailles du Poisson d'or. Placée entre ses frères, Kaléa occupait le centre du canot, au-delà duquel s'étendait la mer étincelante. Garcia et ses orques gardiennes assuraient son escorte. Garcia était un animal magnifique : son corps

Une mauvaise blague

noir et blanc à la peau luisante mesurait plus de cinq mètres de long. De tous les êtres peuplant le royaume des Coraux, c'était lui et ses plus loyaux congénères que le Roi sage avait choisis pour assurer la garde personnelle de la princesse.

Kaléa atteignit le rivage comme une fleur portée par le courant. Son peuple, rassemblé sur le sable, la contemplait avec admiration. Soutenue par quelques pêcheurs, la jeune fille descendit de la pirogue et marcha jusqu'au centre de la plage, où se dressait une petite estrade en

Une mauvaise blague

bois. Une rangée de palmiers ondulant au gré de la brise formait une colonnade naturelle, qui séparait l'intérieur des terres de la mer.

Les flots limpides mouillaient placidement l'extrême bord de la plage, où s'alignaient déjà les barques prêtes pour la compétition.

Tout se passait comme prévu.

Quand Kaléa approcha, le murmure des conversations s'éteignit, et mille et un visages se tournèrent vers elle pour assister à la suite des événements. Tous attendaient que la princesse donne le signal du départ.

Or, juste à cet instant, Purotu s'écria :

– Ma canne à pêche ! Elle n'est plus dans mon bateau ! Quelqu'un me l'a volée !

– Mais enfin, tu en es sûr ? s'enquit sa sœur.

– Constate par toi-même : ma barque est vide !

– On l'a peut-être simplement déplacée.

Étonnés, les autres pêcheurs se regardèrent et se mirent à chuchoter. La princesse posa alors une main sur l'épaule de Purotu et lui demanda tout bas :

– Tu penses vraiment qu'on te l'a dérobée ?

– J'en suis convaincu.

– Et pour quelle raison ?

– Pour me disqualifier ! Comme je n'ai plus le temps

Une mauvaise blague

d'en confectionner une nouvelle, je ne pourrai pas concourir !

Purotu donna un coup de pied rageur dans le sable.

– Eh bien, prends ma ligne ! proposa inopinément un vieux pêcheur.

Faisant un pas en avant, il tendit au garçon une ligne enroulée autour d'une vieille canne en bambou.

Purotu recula.

– Oh, non ! Je ne peux pas accepter !

Le vieillard arbora un sourire édenté.

– Pourquoi pas ?

– Et vous, comment ferez-vous ?

L'homme haussa les épaules.

– Cela fait longtemps que je participe à la joute et je n'ai jamais capturé le Poisson d'or. Si je te donne mon matériel, peut-être en feras-tu meilleur usage !

Croisant son regard, Kaléa reconnut en lui un fidèle sujet.

– C'est très aimable de votre part ! Vous et votre famille serez les bienvenus à la table royale, décréta-t-elle.

– Merci, princesse ! Comptez sur nous ! répondit-il en s'inclinant.

Puis il regagna sa place sans sa canne, mais le cœur gonflé d'émotion.

Une mauvaise blague

Purotu ne savait que dire. Il monta dans son embarcation et posa à ses pieds la jatte contenant l'appât.

Pendant ce temps, Kaléa gravit l'estrade et leva une main.

La brise marine ébouriffa ses cheveux et fit tinter les coquillages de sa robe.

La sirène du phare de l'île de la Lune émit une suite de sons stridents et dissonants, qui, dans l'esprit de la gardienne du lieu, se voulait festive.

Kaléa retint un éclat de rire.

«Moéa, quand donc apprendras-tu à composer un air décent?» pensa-t-elle, tandis que les notes perçantes s'évanouissaient dans l'air.

Lorsque le supplice musical fut terminé, Naéhu s'éclaircit la voix et, après un instant d'hésitation, déclama son poème :

> – *Poisson d'or des grands fonds*
> *Sacré par tradition,*

Une mauvaise blague

Tu es l'âme d'une population
Qui te prie avec force dévotion.
Donne à ce peuple la potion
Éloignant les malédictions.
Daigne hanter ces eaux hospitalières
Pour la joie de tous ceux qui te vénèrent.
Point ne sera un sacrifice,
Mais seulement un bon auspice.

Tous les présents écoutèrent en silence. Et quand Naéhu releva les yeux pour recueillir l'approbation de la princesse, celle-ci lui adressa un clin d'œil complice.

Des nuages indigo coloraient l'horizon.

Quelqu'un observa le ciel : de l'est soufflait un vent bizarre.

6

Le vent

La princesse contempla la mer, le regard perdu à l'horizon. Maintenus par la barrette, ses cheveux voletaient au vent.

Ses yeux étaient plus radieux qu'à l'accoutumée et son sourire si joyeux qu'elle semblait près d'étreindre tous ses sujets.

Elle prit alors la parole :

– Chers amis, le moment de la pêche la plus importante de l'année est venu. Hier soir, les Poissons d'or ont été aperçus au large de l'île des Étoiles. Comme c'est l'usage depuis longtemps, votre mission est d'en capturer un pour le bien de notre peuple et pour celui des poissons. Le premier d'entre vous qui en apercevra

un au fond de son filet ou au bout de son hameçon devra sonner dans la conque se trouvant dans sa barque pour en avertir les autres. Comme le veut la tradition, le vainqueur aura l'honneur de transporter sa précieuse prise jusqu'à l'Aquarium de Fleur d'oubli, auprès duquel il vivra jusqu'à la prochaine pêche.

De l'assemblée s'éleva un cri de joie.

L'Aquarium était un spacieux bassin trônant au cœur d'une vaste pièce. Durant toute une année, le Maître du Poisson d'or le nourrirait et prendrait soin de lui, recueillant l'eau dans laquelle il baignerait pour l'utiliser comme remède contre toutes les maladies.

Ainsi l'inestimable animal garantirait-il une bonne santé à son peuple ; quant à l'heureux marin qui le pêcherait, il passerait un an à la cour.

Des applaudissements et des vivats résonnèrent dans l'air limpide de la plage.

La princesse acheva son discours par un vœu :

– Que le sort se montre bienveillant avec chacun de vous ! Pas seulement avec celui qui attrapera le Poisson d'or, mais avec tous ceux ici réunis en famille ! À présent, que l'épreuve commence !

Les concurrents et leurs proches battirent des mains en s'exclamant :

Le vent

– Vive la princesse Kaléa !

Puis tous les participants, munis d'une corde en raphia et d'une demi-noix de coco évidée, formèrent  une file bien alignée et coite pour recevoir, des mains de la princesse, un peu de l'appât à l'algue rouge préparé par Purotu.

En effet, on savait depuis des temps immémoriaux que seule cette préparation, dont la recette se transmettait de maître en maître, attirait le Poisson d'or.

À mesure que les bols étaient remplis, les pêcheurs rejoignirent leur embarcation, prêts à prendre le large pour se lancer à la poursuite du fameux animal.

Lorsque le dernier d'entre eux monta à bord de sa pirogue, Kaléa observa de nouveau le soleil. Les concurrents retinrent leur respiration.

À l'instant où le soleil se trouva à l'exacte verticale de leurs têtes, la princesse élargit les bras comme pour étreindre la mer infinie, et s'écria :

– En avant, marins des îles ! L'heure a sonné ! Forts de ma bénédiction, partez et revenez avec le Poisson d'or !

Le vent

Les pirogues fendirent la surface des flots comme la lame affilée pénètre le bois. De part et d'autre des coques, les rames plongeaient et ressortaient dans un mouvement étonnamment synchronisé et harmonieux.

Parvenues à une certaine distance du rivage, les embarcations s'éparpillèrent sur les flots en une étrange constellation. Tous les concurrents modelèrent une boulette d'appât, qu'ils fixèrent à leur hameçon taillé dans le bois. Puis ils lancèrent leur ligne et attendirent. Chacun avait le choix de sa canne à pêche, pourvu que l'hameçon ou l'appât n'aient rien de tranchant afin de ne pas blesser la prise.

La joute se déroulait dans un silence presque irréel. À part le vent, qui soufflait de l'est, et le clapotis des vagues contre le flanc des pirogues, on n'entendait pas le moindre bruit. Même le public, debout sur la plage, semblait entièrement absorbé par l'épreuve.

Assis en équilibre à bord de sa pirogue, Purotu tenait fermement la canne que lui avait confiée le vieil homme, sans cesser de penser à celle qu'il avait fabriquée au prix d'un labeur de plusieurs mois uniquement en vue de ce jour.

Le garçon était certain qu'avec cette canne à pêche, le Poisson d'or aurait mordu à son hameçon, mais il lui

Le vent

était désormais impossible d'en faire la démonstration. Tout s'était compliqué. Avait-il été victime d'une plaisanterie ? Ou, comme il le soupçonnait, la proie d'un inconnu malveillant qui désirait capturer l'animal à sa place ?

7

Le Poisson d'or

Braqués sur les pirogues des pêcheurs, les yeux de Kaléa passaient à toute vitesse de l'une à l'autre. La princesse adorait cette joute et plus encore son sens profond : l'entente parfaite liant le peuple des îles et la mer.

– Espérons que le Poisson d'or ne nous fera pas faux bond ! dit le pêcheur resté sans ligne.

Dénommé Toanui, l'homme se tenait debout sur la plage, à quelques pas de Kaléa.

– Pourquoi cela arriverait-il ?

– Cela s'est déjà produit dans le passé.

Kaléa l'avait lu en effet dans les annales du royaume, conservées dans le phare de l'île de la Lune. Durant la

longue guerre menée par son père contre le Vieux Roi, le Poisson d'or avait interrompu sa migration saisonnière vers l'île du Soleil, contraignant le peuple de la région à se passer, des années durant, de tout médicament.

Mais ce temps était révolu, le calme et l'harmonie régnaient à nouveau et le précieux animal était revenu nager dans ces eaux.

– Certains soutiennent qu'un jour le Poisson d'or ne se pêchera plus, insista pensivement le vieillard.

– Moi, je te dis que ce n'est pas près d'arriver, mon bon Toanui ! Tant que notre royaume connaîtra la paix et la justice… il ne nous abandonnera pas !

– La paix et la justice, princesse ! Vous prétendez que la mer sait de quoi il s'agit ?

– La mer sait tout ! répliqua Kaléa. C'est plutôt nous qui ne la connaissons pas suffisamment.

– Parfois, vous parlez comme votre père, princesse…

– Et vous comme quelqu'un qui l'a côtoyé.

– J'ai pêché pour lui. Je montais sur les pirogues à l'époque où l'on n'utilisait pas encore les hameçons en bois ou en coquillage poli pour ménager sa prise. Votre père exigeait alors que tout le monde utilise un filet.

Le vieil homme rit en esquissant un ample geste du bras.

Le Poisson d'or

– La difficulté était de le lancer dans l'eau avant que l'animal ne s'échappe. Il m'est arrivé de voir le Poisson d'or nager librement dans la mer !

– De quoi cela a-t-il l'air ?

– D'un prodige de lumière, princesse ! Un spectacle merveilleux : il est identique au spécimen que nous gardons dans l'Aquarium, mais en beaucoup, beaucoup plus rapide ! s'exalta Toanui.

La princesse rit à son tour.

– Mon père aimait beaucoup ces sorties en mer…

– C'est vrai.

– … et il disait toujours qu'un bon pêcheur doit avoir deux qualités fondamentales : l'intuition et la patience !

– C'était un souverain qui aimait véritablement son peuple. Et il tenait à être informé de tout avant de prendre ses décisions.

« Ah, ses décisions ! » songea Kaléa en s'assombrissant. Elle pensa au Grand Royaume qui avait été divisé en cinq plus petits, à la disparition de ses parents, à ses sœurs, qu'elle n'avait pas vues depuis si longtemps (et qu'elle avait ordre de ne rencontrer ou contacter sous aucun prétexte). Elle se demanda si tout cela était vraiment juste. Si son père avait bien tout mûri avant de les séparer pour toujours, elle et ses sœurs…

Le Poisson d'or

Subitement, le fil de ses pensées fut interrompu par un son, une note unique et mélodieuse provenant des pirogues.

– Ha, ha! se réjouit le vieillard en humant l'air saturé de sel. Ils l'ont pris!

– Ça y est! exulta Kaléa, le regard happé par le large.

– Paix et justice, princesse! murmura-t-il en souriant de sa bouche édentée.

Au beau milieu de la mer, Purotu attendait sans bouger, les bras raides et les yeux fixés sur la ligne qu'il avait mise à l'eau. Il se tenait prêt à intervenir à la moindre vibration, mais sous la surface, pas un frémissement. Rien. Les flots semblaient aussi opaques que de l'encre. Lorsqu'il entendit le signal de la capture du poisson, il ressentit une douleur aussi aiguë que si une flèche l'avait transpercé. Le poisson avait été attrapé par un marin tout proche!

– Je l'ai eu! claironnait l'homme, fou de joie. Il est là! Juste là!

Le vainqueur se tenait debout sur son embarcation, tanguant après l'effort déployé pour sortir le poisson de l'eau. La longue canne encore humide luisait au soleil, tandis que la coque encaissait les violents coups de l'animal privé de liberté. Le corps écailleux du poisson

bondissait et se contorsionnait en renvoyant des reflets dorés.

— Hé ! s'exclama Purotu.

Pas de doute : c'était bien un Poisson d'or au bout de… sa canne soudain réapparue !

D'autres conques répondirent à celle du pêcheur. Bientôt, toute la surface des flots vibra de leurs échos, et cinq cents esquifs se mirent en mouvement, tous en même temps.

— Il n'y a pas de temps à perdre ! Pressons-nous de le porter à l'Aquarium ! cria quelqu'un.

Le Poisson d'or

– Vite, dans le bassin de Fleur d'oubli !

– Tous à l'île des Étoiles !

– Oui, au palais !

– Mais enfin, arrêtez ! Il a ma canne ! intervint Purotu en désignant l'homme victorieux.

En pure perte. Personne ne l'écoutait.

Le garçon se mordit la lèvre et rangea la ligne du vieillard.

– Où est passé le Maître du Poisson d'or ? Appelez-le immédiatement !

– Cap sur l'Aquarium ! hurlèrent en chœur les marins en jetant dans le fond de leurs embarcations fil, canne et autre matériel.

Nombre d'entre eux se dirigèrent alors vers l'île des Étoiles, où se profilait Fleur d'oubli.

Hors de lui, Purotu se mit à ramer en observant celui qui avait attrapé le poisson. Il était resté debout sur sa pirogue, apparemment incapable de croire à ce qui lui arrivait.

– Secoue-toi et rame ! l'interpellèrent ses amis en riant.

Ivre de bonheur, l'heureux gagnant ne bougeait toujours pas. Était-il possible que cet homme-là ait volé sa canne ? Ou s'agissait-il seulement d'une erreur ?

Le Poisson d'or

Passant à côté de lui, le garçon le dévisagea : il ne le connaissait pas et ne l'avait même jamais vu dans les îles. Et dire que ce quidam passerait une année entière au palais royal ! Chassant cette pensée, Purotu lui lança :

– Alors ? Tu te décides à apporter le Poisson d'or à l'Aquarium ou tu comptes le garder pour toi tout seul ?

Le pêcheur sourit, puis, sans quitter sa prise du regard, s'agenouilla et se mit à pagayer. Purotu et les centaines de pirogues en fête le suivirent.

8
Alerte inattendue

fin qu'il ne souffre pas trop de son séjour hors de l'eau, le Poisson d'or devait être transféré au plus vite dans le bassin de l'Aquarium. Or son transport, pressé et haletant, faisait également partie du rite. Une partie des spectateurs demeurés sur la plage de l'île du Soleil mirent leurs embarcations à la mer, tandis que d'autres plongeaient pour rejoindre leurs parents à bord de pirogues.

Kaléa embarqua sur la sienne, en compagnie de Naéhu et de deux rameurs royaux. Lancés à la poursuite de la flotte des pêcheurs, les deux jeunes gens ne cessèrent de bavarder. Mais au beau milieu du trajet, la sirène du phare de l'île de la Lune émit un signal

Alerte inattendue

lugubre : un son long et menaçant qui ne promettait rien de bon.

– Tu entends ? demanda Naéhu à sa sœur.

Kaléa s'était plaqué les mains sur les oreilles.

– Impossible de faire autrement !

– Pourquoi sonne-t-elle de cette façon ?

– Je ne sais pas.

– Peut-être annonce-t-elle la venue d'un bateau ? hasarda le garçon.

– En cette saison ?!

– Ou une attaque de pirates ?

– Nooon ! Garcia m'en aurait informée ! hurla Kaléa pour dominer le meuglement de la sirène.

Le signal se répéta encore une, deux, trois fois. Puis plus rien.

– Est-ce un code ? s'enquit encore Naéhu.

Kaléa n'y comprenait décidément rien.

– Pas que je sache ! répondit-elle en secouant la tête.

– Peut-être est-ce la manière dont notre indocile Moéa célèbre l'événement… plaisanta le garçon.

– Qui sait ! répliqua la princesse, guère convaincue. Mais ce serait bien la première fois !

Comme la gardienne du phare n'avait pas franche-ment l'oreille musicale et oubliait d'une fois sur l'autre

Alerte inattendue

les séquences de notes, pourtant simples, initialement convenues, il n'y avait pas de véritable code pour les alertes. Néanmoins, ces étranges éclats troublèrent Kaléa.

La pirogue royale avait déjà rejoint la queue de la procession quand la princesse ordonna aux rameurs de ralentir.

– Regarde ! s'exclama son frère en pointant le ciel.

Un gros oiseau blanc volait fébrilement au-dessus des autres embarcations. C'était Jay Jay, le pélican messager.

– Jay Jay ! l'appela Kaléa. Nous sommes ici !

Dès qu'il les aperçut, le volatile exécuta un grand virage et plana au ras de l'eau jusqu'à leur canot. Piaillant et battant frénétiquement des ailes, il semblait épouvanté.

– Jay Jay ! Calme-toi ! lui intima la princesse.

Mais le pélican ne paraissait pas près de s'apaiser.

Il approchait de la pirogue, la frappait du bec, puis reprenait de l'altitude.

Alerte inattendue

– Il a l'air terrifié… fit Naéhu.

Kaléa vérifia les plumes de l'oiseau et la chaînette à laquelle on suspendait habituellement les missives.

– Il n'a pas de message. Il veut nous montrer quelque chose. Vas-y, Jay Jay ! C'est compris ! On arrive ! dit-elle à l'oiseau.

Puis, s'adressant aux rameurs, elle ordonna :

– Suivez-le aussi vite que vous le pourrez !

– Mais enfin, petite sœur… et les autres ?! plaida le garçon.

– Peu importe ! Il s'est passé quelque chose… et Jay Jay sait de quoi il retourne ! Retroussons nos manches, nous aussi !

Ignorant les protestations de ses hommes, la princesse s'agenouilla au fond de la pirogue et saisit une pagaie, qu'elle plongea dans l'eau.

– Allez, en route ! commanda-t-elle à son frère.

Naéhu se pencha en soupirant et l'imita, mais ses coups de pagaie semblaient bien plus faibles que ceux de sa sœur. Quittant le sillage des pêcheurs, la pirogue royale obliqua à droite, vers la côte nord de l'île des Étoiles.

Jay Jay se dirigeait droit vers la baie Blanche et sa petite plage, dont la position était diamétralement opposée à

Alerte inattendue

l'entrée de Fleur d'oubli, où s'apprêtaient à accoster les autres embarcations. Grâce à la puissance de ses ailes, le pélican progressait en de longs et sinueux vols planés.

– On ne va pas y arriver ! s'affola Naéhu.

– Continue à ramer ! Courage !

– Je veux bien, mais c'est dangereux ! Regarde, nous sommes seuls à présent ! Personne ne nous a suivis…

– Et alors ? Ils ont leur propre mission à accomplir.

Et de fait, les pêcheurs étaient si soucieux de déposer le Poisson d'or à l'abri de l'Aquarium qu'ils semblaient ne pas s'être aperçus de leur défection. Bientôt, eux-mêmes disparurent derrière la ligne de la côte.

Le rivage était désormais proche et Kaléa ne savait à quoi s'attendre. À part quelque incursion du capitaine Buhl, pirate plus célèbre pour son effrayant masque noir que pour la peur qu'il inspirait, le royaume vivait depuis longtemps dans la paix et la tranquillité.

Mais «le vent souffle et les nuages s'amoncellent sans raison», aimait à rappeler son père. Or, ce jour-là, des nuages sombres et violacés s'accumulaient à l'horizon, et la brise soufflait sans discontinuer.

Fixant le phare qui se dressait sur les falaises de l'île de la Lune, Kaléa refusa de s'alarmer. Ce n'était pas son habitude. Depuis toute petite, elle était la plus joyeuse

et la plus solaire des filles du Roi sage. Dotée d'un cœur doux et simple, elle était toujours prête à insuffler du courage aux personnes en difficulté. Elle était optimiste et rêveuse… parfois trop peut-être.

– Du nerf ! cria-t-elle en replongeant sa pagaie dans l'eau, l'air préoccupé.

Soudain, les deux rameurs leur firent signe d'arrêter.

– Qu'y a-t-il ? demanda Naéhu.

– Jay Jay ralentit ! devina la princesse en désignant le volatile.

Un modeste promontoire rocheux, protégeant la baie Blanche des puissants vents du nord, était en vue.

Jay Jay étendit les ailes pour le franchir, et après un bref vol plané, disparut dans les dunes. Les deux hommes d'équipage rangèrent leur pagaie, laissant la pirogue glisser rapidement au fil du courant.

– Nous y sommes ! déclara Kaléa. C'est la baie Blanche !

Au-delà des rochers, un tapis de coquillages broyés par les vagues dessinait un arc immaculé sur une centaine de pas. Kaléa se leva, regarda à droite et à gauche et ne remarqua rien d'insolite. De gros troncs d'arbre gisaient paisiblement sur la plage comme des cétacés échoués.

– Je ne comprends pas… Il n'y a rien qui…

Alerte inattendue

Tous scrutèrent le bord du rivage : du sable blanc comme neige, du bois flotté et un léger ressac…

– Veux-tu que nous descendions vérifier ? proposa Naéhu.

La princesse pointa le pélican.

– Revoici Jay Jay !

– Il s'est arrêté près d'un tronc ! Je le savais, il nous a fait une blague ! s'indigna le garçon.

– Impossible ! Il y a sûrement quelque chose là-bas, tu verras.

– Nous nous sommes donné toute cette peine pour un simple bout de bois rejeté par la mer !

La pirogue était désormais toute proche de leur cible. Kaléa et Naéhu aiguisèrent leur regard, et sur leur visage se peignit une immense surprise. La forme sombre près de Jay Jay n'était pas un tronc.

– Par les plus profonds abysses ! s'exclama Naéhu. C'est… c'est un…

– … jeune homme ! acheva sa sœur en sautant par-dessus bord.

9

Le naufragé

Sur le sable extrêmement fin de la baie Blanche gisait le corps inerte d'un homme. Ses cheveux châtains, longs jusqu'aux épaules, étaient imprégnés de sable et de sel. Il portait des vêtements élimés et rapiécés en divers endroits et était pieds nus. Rien de plus. À l'évidence, la mer avait emporté ses autres affaires. Kaléa et sa suite l'étudièrent à bonne distance, puis s'approchèrent prudemment.

Brandissant leurs pagaies comme des lances affilées, les deux rameurs escortaient Kaléa.

— On dirait un marin ! commenta Naéhu, sans trouver le courage de faire un pas de plus pour retourner l'inconnu et découvrir son visage.

Le naufragé

Kaléa ne bougeait pas davantage. Elle se contentait d'observer la scène, de là où elle était. Dans son for intérieur, elle ne savait guère s'il fallait souhaiter que le jeune homme se réveille ou non… Cette silhouette immobile, étendue par terre, dégageait quelque chose de très particulier…

– Est-ce qu'il respire ? demanda-t-elle.

– Je l'ignore. Que faut-il faire, d'après toi ? s'enquit son frère.

La princesse reprit ses esprits.

– Jay Jay, va chercher de l'aide ! ordonna-t-elle. Ramène Garcia et Purotu ! Vite !

Le naufragé

Le pélican s'envola en direction de Fleur d'oubli.

Puis la jeune fille prit une profonde inspiration et s'approcha du naufragé. Les rameurs se mirent en garde et Naéhu chuchota :

– Attends, Kaléa… Qu'as-tu en tête ?

La princesse était indécise. S'agenouillant à côté du corps inanimé, elle l'examina de plus près. Alors que le soleil au zénith rendait l'air et le sable incandescents, le jeune homme ne semblait pas vouloir se réveiller.

Avec une extrême délicatesse, Kaléa effleura le bras de l'inconnu. Le sel marin avait rendu le tissu de sa chemise raide et rêche. La princesse fit glisser ses doigts le long de son avant-bras jusqu'au poignet, où la manche était déchirée. Dès qu'elle toucha sa peau, elle ressentit un violent frisson, comme si une secousse électrique était passée dans le bout de ses doigts. Elle retira brusquement sa main.

– Il n'est pas froid, rapporta-t-elle, encore étonnée de cette sensation.

– Tu veux dire qu'il est vivant ?

– Peut-être. Il faut vérifier.

La princesse appela les rameurs, qui posèrent leurs pagaies et la rejoignirent.

– Retournez-le ! leur commanda-t-elle.

Le naufragé

Les deux hommes entreprirent de le faire basculer sur le dos. Mais dès qu'ils le soulevèrent, le jeune homme gémit.

– Vous avez entendu ? demanda Kaléa.

– Oui ! Il est encore en vie ! s'écria Naéhu.

Le naufragé toussa.

– On dirait bien… répliqua Kaléa en saisissant la main de son frère.

– Naéhu ! Kaléa ! appela-t-on au loin.

C'était la voix de Purotu. Il courait dans les dunes avec l'agilité d'une gazelle.

Quelques minutes plus tard, il fut auprès d'eux.

– Où étiez-vous passés ?

– Grâce au ciel, te voilà, Purotu ! Regarde ! Il y a un homme évanoui sur la plage ! expliqua la princesse en désignant le naufragé. Nous avons essayé de le retourner et… il a frémi.

– Et toussé ! compléta Naéhu.

– Il semble très mal en point ! fit remarquer leur frère.

Kaléa détailla le visage de l'inconnu. Sa peau rougie était incrustée de sable. Au milieu d'une barbe inculte, laissant entrevoir des traits assez accusés, apparaissaient des lèvres blêmes. La jambe droite portait une profonde blessure.

Le naufragé

– Regardez… Il a dû perdre beaucoup de sang, jugea Kaléa.

Très précautionneusement, Purotu posa l'oreille contre la poitrine du jeune homme et perçut un très faible souffle.

– Il respire encore.

– Il faut immédiatement l'emmener à Fleur d'oubli et faire venir le guérisseur des îles, décréta la princesse.

– Tu veux l'introduire dans le palais ? s'alarma Purotu, qui ne se fiait jamais à personne, sinon à lui-même. Tu ne le connais même pas ! Tu ne sais pas qui c'est !

– Je ne vous connaissais pas non plus, mes frères, quand vous avez échoué sur cette même plage, répliqua Kaléa.

Purotu se mordit la lèvre et obtempéra.

– Je vais chercher du renfort !

– Je viens avec toi ! s'exclama Naéhu, qui ne voyait pas quoi faire d'autre.

10
Le guérisseur sans nom

L'inconnu découvert sur la plage de la baie Blanche fut transporté de toute urgence à Fleur d'oubli. Sa respiration était pénible et il semblait à bout de force. Il fut placé dans une chambre de l'aile sud, non loin de celle de la princesse.

Jay Jay et Garcia partirent aussitôt, l'un par les airs et l'autre par les eaux, quérir le guérisseur des îles, un vieil homme menu, à la peau sombre et aux cheveux aussi blancs que le sable corallien. Le regard profond de ses yeux légèrement allongés et de couleur noisette lui conférait un air paisible et sage. À force de l'appeler « le guérisseur », plus personne ne se rappelait son nom. Pourtant, sa renommée était telle que tous le connaissaient et

savaient où le trouver. Comme il habitait un atoll assez éloigné de l'île des Étoiles, il lui fallait presque toute une journée de navigation pour venir au palais.

Le vieil homme était le dépositaire du plus ancien savoir médical du royaume. C'est lui qui avait découvert que l'eau dans laquelle baignait le Poisson d'or était le meilleur remède contre les maladies dont souffraient couramment les pêcheurs, et ainsi compris que le véritable guérisseur des mers, c'était non pas lui mais cet animal ! D'aussi loin que l'on se souvienne, il vivait seul. Il se cherchait un successeur, disait-on, mais ne l'avait pas encore trouvé.

Le guérisseur arriva sur une pirogue délabrée, jadis taillée dans le plus vieil arbre qui ait poussé dans les îles. Il regarda tout autour de lui comme un voyageur qui rentre chez lui au terme d'une longue absence et s'engagea d'un pas décidé dans l'allée de palmiers qui fendait d'un trait le labyrinthe de fleurs.

Le guérisseur sans nom

Il n'alla pas directement auprès du malade, mais dans la salle de l'Aquarium, où il hocha la tête en voyant le poisson. Il murmura une prière, puis seulement se rendit au chevet du mystérieux naufragé.

– Est-ce lui, l'inconnu rejeté par les vagues ? demanda-t-il à la princesse.

– Oui, et il délire : il a beaucoup de fièvre !

– Depuis quand ?

– Depuis que nous l'avons trouvé, hier. J'espère que vous pourrez faire quelque chose pour lui.

La princesse connaissait fort bien les compétences de leur médecin, mais la sagesse du vieil homme le portait parfois à laisser les choses suivre leur cours, sans faire obstacle à la volonté de la mer.

Posant les mains sur le lit, il se pencha sur le visage du jeune homme, puis se figea net : quelque chose comme une barrière invisible, dressée entre lui et le malade, l'empêchait de poursuivre son examen. Les yeux du vieillard s'écarquillèrent et sa bouche s'entrouvrit comme sous l'effet d'une surprise plus grande que ce qu'elle pouvait absorber. Puis, avec une extrême lenteur, il posa la main sur le front du naufragé.

– Il guérira ! déclara-t-il seulement avant de quitter la chambre.

Le guérisseur sans nom

Interloquée et quelque peu fâchée, Kaléa le suivit.

– Vous ne comptez pas le soigner ?

– J'ai dit qu'il guérira ! répéta sévèrement le médecin.

– Je vous aurai donc fait venir pour rien ?

Le guérisseur s'arrêta brusquement et se retourna.

– En aucune façon, princesse. Vous avez très bien fait de m'appeler. Plus que vous ne pouvez l'imaginer.

Kaléa ne dit rien de plus. Toute princesse qu'elle était, elle ressentait un profond respect pour le vieil homme.

Elle se contenta donc de ces maigres paroles et poussa un soupir de soulagement.

Puis elle retourna auprès de l'étranger et l'observa, tout tremblant au fond de son lit. S'attardant sur ses traits et ses yeux clos, elle se dit à son tour : « Il vivra. » Dès lors, son cœur se mit à battre plus vite.

11

Khalil Zaba

Durant les jours qui suivirent, le royaume des Coraux vécut pour ainsi dire en suspens. Comme la princesse avait ordonné que la capture du Poisson d'or ne soit célébrée qu'après le réveil de l'étranger, des rumeurs se répandirent comme une traînée de poudre parmi les gens de mer, l'une chassant l'autre comme seuls les mensonges savent le faire. Découvrir un mystérieux naufragé le jour même de la prise du Poisson d'or : la coïncidence était trop belle !

   – On dit que c'est un prince…

   – Mais il ne s'en sortira pas…

   – C'est un homme jeune, tout de même plus âgé que les jumeaux.

– Un marchand du désert !

– Non, il vient du royaume des Glaces éternelles ! Il portait une peau de phoque !

– Le guérisseur n'a pas l'intention de le soigner…

– Et il paraît que quelque chose ne tourne pas rond à Fleur d'oubli…

– Le Poisson d'or refuse sa nourriture !

Pendant ce temps, l'inconnu recevait de fréquentes visites du vieux guérisseur, qui entendait s'occuper de lui à huis clos afin que personne ne découvre ses méthodes. Kaléa patienta sans poser de questions jusqu'à ce que le vieillard l'autorise à entrer dans la chambre du malade.

– Il est réveillé, déclara-t-il. Et je crois qu'il veut vous parler.

On lui avait fait une grande toilette, arrangé les cheveux et rasé la barbe.

Les traits de son visage étaient désormais plus nets, un brin anguleux et marqués, et finalement très différents de ceux des insulaires. Ses yeux au regard intense étaient d'une couleur indéfinissable, entre le noir, le gris et le bleu de la mer nocturne. C'était un homme extrêmement fascinant, comme Kaléa n'en avait jamais connu.

Quand il se mit à parler, sa voix se révéla basse et profonde.

– Qui que vous soyez, aimable demoiselle, j'aimerais vous remercier du fond du cœur pour tout ce que vous avez fait : vous m'avez sauvé la vie !

– Tout le plaisir était pour moi. Je suis Kaléa, la princesse de ce royaume, et j'ai le devoir de prendre soin de mes sujets et de toute personne en détresse.

– Une princesse, vraiment ? Qui l'eût cru ?

– Que voulez-vous dire ? N'en ai-je pas l'apparence ? Prenez garde, je pourrais m'offenser ! répondit-elle d'un ton badin.

L'étranger sourit faiblement.

– Surtout pas! Votre attitude vous fait honneur! Vous êtes une altesse bonne et généreuse, tout comme votre médecin.

Kaléa croisa le regard du vieil homme, puis découvrit avec surprise Purotu et Naéhu, qui, venant d'arriver, suivaient la scène depuis le couloir.

– C'est le guérisseur le plus savant et le plus sage de tout le royaume! assura la jeune fille. Et il demeurera à la cour jusqu'à ce que vous soyez complètement guéri.

– Voilà qui est réconfortant. Et maintenant, permettez-moi de me présenter, dit l'inconnu en tentant de se lever.

Il n'y parvint qu'en partie, avant que ses forces ne l'abandonnent.

– Pardonnez-moi, princesse, mais je crains de ne pouvoir en faire plus. Je me nomme Khalil Zaba et je viens du royaume du Désert.

– Que vous est-il arrivé?

– Nous avons été attaqués par un vaisseau pirate, mais ne me demandez pas comment cela s'est passé précisément. Il y avait une tempête… et il faisait nuit. Nous croisions au large de je ne sais quelles îles. N'étant pas cartographe, je ne saurais vous les indiquer. D'ailleurs, j'ignore jusqu'à l'endroit où je me trouve maintenant.

Khalil Zaba

J'étudie la flore et m'étais embarqué avec d'autres collègues sur le navire d'exploration *Vague bleue*, lorsque nous avons été surpris par... ces canailles !

– Pauvre de vous ! s'exclama Kaléa. Des pirates dans nos eaux ! Cela faisait des mois que nous n'en voyions plus ! Pensez-vous qu'il puisse y avoir d'autres survivants ?

– J'imagine que non. Nous dormions quand c'est arrivé. Juste avant, nous avions trinqué à l'importante découverte d'un confrère : un crabe prisonnier d'un filet de pêche... un spécimen très rare, vestige du temps des royaumes aujourd'hui disparus... Et nous étions tous très fatigués.

– Combien d'hommes se trouvaient à bord de votre bateau ?

– Douze, plus six appartenant à l'équipage. La tempête a éclaté pendant la nuit, comme je vous l'ai dit. Puis, j'ai entendu des hurlements, des fers se croiser... Je suis monté sur le pont, j'ai vu notre navire abordé par un galion noir. Puis... puis je me suis retrouvé dans l'eau sans savoir comment. Afin de ne pas sombrer, j'ai nagé jusqu'à l'épuisement, et alors que je me croyais perdu... je me suis réveillé ici.

Un lourd silence envahit la pièce.

– Vous êtes un homme vigoureux, Khalil Zaba. Ne

vous affligez pas du sort de vos compagnons et de ce que vous n'avez pas pu faire. Le destin est parfois cruel… commenta Kaléa, la mine assombrie.

Purotu et Naéhu n'avaient pas encore pipé mot, mais comme ils s'étaient penchés à l'intérieur de la pièce au point de devenir entièrement visibles, Kaléa les invita à entrer et les présenta :

– Voici mes deux frères, professeur Zaba. Comme vous, ils viennent de la mer…

Le jeune homme leur adressa un bref signe de tête et ajouta :

– Par une heureuse coïncidence, j'ai dû être poussé par les mêmes courants…

– C'est cela, par une heureuse coïncidence… répéta Purotu, les dents serrées.

Son regard trahissait le vif déplaisir que lui inspirait la présence de cet inconnu dans le palais.

Naéhu cita un vers de poésie et la conversation se poursuivit. Seul le guérisseur resta à l'écart, comme une sombre statue adossée aux parois de jonc de la chambre.

– Quelle est cette musique ? s'enquit Khalil après un long moment de silence.

À travers les fenêtres protégées par un subtil voile de

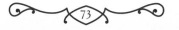

raphia leur parvenaient de lointains accents de flûtes et un brouhaha laissant deviner une certaine animation. Kaléa sourit.

– Vous arrivez ici au cours d'une semaine très particulière, professeur Zaba, celle que nous consacrons à la capture d'un animal tout aussi particulier, le Poisson d'or !

Khalil tendit l'oreille.

– Je n'en avais jamais entendu parler, même parmi mes confrères…

– Il s'agit d'une espèce très rare, qui ne vient nager près de nos côtes qu'en cette période de l'année. Tous les pêcheurs du royaume s'efforcent d'en capturer un seul et unique spécimen, que l'on abrite ensuite dans le grand Aquarium situé au cœur du palais, où le veille l'heureux homme qui l'a attrapé.

– Et pourquoi tout cela, s'il m'est permis de le demander ?

– Voyez-vous… l'eau dans laquelle l'animal baigne acquiert d'extraordinaires propriétés thérapeutiques, expliqua la princesse en pointant les flacons transparents alignés non loin du malade.

– Mais c'est fantastique ! commenta Khalil. Dans aucun des ouvrages traitant des Cinq Royaumes que j'ai pu étudier à l'Académie du royaume du Désert, je n'ai lu quoi que ce soit à propos de ce poisson ! Les autres scientifiques seront…

– Ce qui arrive dans les Cinq Royaumes n'est pas toujours consigné dans les livres… observa finement la princesse dans l'espoir de changer de sujet.

– Ce qui est une chance, ajouterais-je ! Nulle part était-il écrit non plus que je rencontrerais une princesse aussi belle… murmura le jeune homme venu de la mer.

– Vous me flattez, professeur.

Sortant de l'ombre, le guérisseur déclara :

– Je pense que cela suffit pour un premier entretien, princesse.

– Vous avez raison. Professeur Zaba, j'espère que vous recouvrerez bientôt vos forces afin de participer au moins à la fin des festivités.

– D'autant que nous les avons déjà reportées d'une semaine… précisa sèchement Purotu.

– Pour vous y convier, naturellement ! tempéra son frère.

– C'est très aimable à vous. Dans ce cas… je ne manquerai pas d'y assister.

12
La fête
des Mille Lumières

L a soirée des Mille Lumières, grande fête clôturant le rite du Poisson d'or, approchait enfin ! L'attente due à la santé du naufragé avait engendré une certaine fébrilité chez les habitants de l'île : le royaume des Coraux vivait en effet à travers sa musique, ses feux de joie sur la plage et son éternel été, continuellement entretenus par l'entrain et la beauté de sa princesse.

En cuisine, Émiri s'était livré à de grands préparatifs, sans être encore complètement satisfait de la qualité de certains plats, qui reposaient sur la table ovale en attendant d'être améliorés. Le cuisinier fixait en particulier une timbale d'algues d'un air dégoûté.

La fête des Mille Lumières

– Ajoute un soupçon de jus de
cœur de palmier ! ordonna-t-il
à l'un de ses perroquets.
Il goûta le résultat.
– On n'y est pas
encore. Mais qu'est-ce
qui manque ? Quel
maudit ingrédient ?!
Du haut de leur
perchoir proche de
la porte, les quatre
oiseaux le regardaient,
impuissants. C'est alors qu'un papillon entra par la
fenêtre et exécuta une élégante petite danse au-dessus
de la marmite.
– Allez, va-t'en ! s'exclama Émiri en le chassant du
revers de la main.
Des ailes de l'insecte tomba une poudre extrêmement
fine, qui garnit la timbale d'un imperceptible duvet doré.
Le cuisinier réfléchit un instant, puis goûta de nouveau.
– Parfait ! Voilà ce qu'il me fallait : des écailles de
papillon !
Les perroquets poussèrent un soupir de soulagement.
Mais le calme ne dura guère.

La fête des Mille Lumières

– Du poisson ! Il m'en faut encore ! se lamenta dere-
chef Émiri. Purotu ! Purotu ! Où est ce garçon ? Il n'est
jamais là quand on a besoin de lui !

~*~

– C'est comme si je n'existais pas… confia Purotu,
en se promenant en compagnie de Naéhu le long du
morceau de plage qui menait de l'embarcadère royal à
la baie Blanche. La princesse n'a d'yeux que pour ce
bellâtre !
– D'après moi, tu exagères, petit frère…
– Vraiment ? A-t-on jamais entendu parler d'un report
de la fête des Mille Lumières ? Au port, on ne cause que
de ça !
– Reconnais que la coïncidence est singulière !
– Et d'abord, qui est ce Khalil Zaba ? Un botaniste
du désert ? Depuis quand étudie-t-on les plantes dans
le désert ?!
– L'Académie du royaume du Désert est un établisse-
ment important, Purotu… murmura Naéhu, qui s'était
laissé dire que tous les grands poètes des Cinq Royaumes
étaient passés par là et y avaient laissé un exemplaire de
leurs plus belles compositions.

La fête des Mille Lumières

– Et ma canne à pêche ? maugréa Purotu.

– Oh, encore cette histoire !

– On me l'a volée et le coupable se trouve être celui qui a pêché le Poisson d'or !

– Tu lui en as parlé ?

– Oui !

– Et que t'a-t-il répondu ?

– Qu'il l'avait trouvée sur sa pirogue, sans l'avoir jamais vue auparavant.

– Tu vois, c'est une erreur. Peut-être l'avais-tu laissée sur son embarcation au lieu de la tienne ! Arrête de soupçonner tous ceux qui vivent à Fleur d'oubli ! Tu vas finir par te méfier de moi, d'Émiri... ou encore de Tiaré ?!

Pendant quelques minutes, Purotu resta silencieux, puis il reprit :

– Et il y a autre chose qui ne me

convainc pas. Cet individu dit avoir été attaqué par des flibustiers, or nous n'avons pas vu un seul vaisseau pirate…

Naéhu leva les bras au ciel, exaspéré.

~*~

Lorsque le soleil se coucha, plusieurs dizaines de bougies illuminèrent le jardin de Fleur d'oubli.

Plus belle que jamais, Kaléa se présenta dans la salle de l'Aquarium, vêtue d'une longue robe blanche entièrement brodée de coquillages. Comme à son habitude, elle était pieds nus, et ses cheveux défaits retombaient en boucles souples le long de son visage et dans son dos. On aurait dit une mariée de la mer.

Son peuple s'était rassemblé à l'intérieur de la pièce, et ceux qui n'y avaient pas trouvé de place s'étaient installés dehors, le long des haies du labyrinthe ou sur la plage de l'île des Étoiles, dans l'espoir de capter une image de la cérémonie ou des bribes du discours de leur souveraine.

Parmi ses admirateurs regroupés près du bassin patientait, en plus de Purotu et de Naéhu, l'étranger, qui, depuis quelques jours, avait un nom : Khalil Zaba,

botaniste de l'Académie du royaume du Désert. Appuyé sur une béquille sculptée dans un os de baleine, il se tenait à l'écart. Non loin de lui étaient massés, avec leurs familles, divers pêcheurs ayant participé à la joute, ainsi que le vieux Toanui, le guérisseur, Émiri, et toutes les autres personnalités du royaume, mis à part Moéa, qui abandonnait rarement ses dangereuses falaises.

La vaste salle de l'Aquarium était arrangée avec simplicité. En plus du grand bassin de cuivre s'y trouvaient des filets et des récipients pour la pêche, une petite table ronde avec quelques chaises ainsi qu'un long tapis menant à la chambre du pêcheur. Sur le seuil de celle-ci trois personnes attendaient : le marin ayant capturé l'animal l'année précédente et sa famille, qui s'apprêtaient à céder la place au nouvel heureux élu.

Vivre au palais constituait un honneur simple sans grand privilège, mais à même de changer définitivement la vie de ceux qui en faisaient l'expérience. Comme Kaléa n'avait jamais aimé le luxe, aussi bien les meubles que les ornements de Fleur d'oubli étaient élégants sans être voyants. Sobres et fonctionnels, ils s'harmonisaient avec la nature environnante.

Illuminée par les feux des chandelles, la princesse prit la parole :

La fête des Mille Lumières

– Mes chers amis, je vous remercie d'être venus. J'aimerais faire venir à mes côtés celui grâce à qui cette fête peut avoir lieu : le pêcheur Anoï.

D'une démarche mal assurée, un robuste gaillard de taille moyenne, aux cheveux bruns et à la peau tannée par d'innombrables heures passées au soleil, fit un pas en avant. Ses yeux, dont les reflets changeaient à la lueur des bougies, semblaient hésitants.

La princesse l'accueillit en serrant ses mains dures et calleuses.

– Anoï, tout le peuple du royaume des Coraux t'est reconnaissant de ce que tu as fait. Jusqu'à l'année prochaine, c'est-à-dire tout le temps que tu vivras avec nous, ton Poisson d'or guérira nos pêcheurs des maladies qu'ils contractent en mer.

– J'en suis très honoré, princesse ! balbutia l'homme avec émotion.

– On me dit que tu vis seul sur un atoll perdu… enchaîna Kaléa, et que tu as très peu d'amis dans les îles.

– C'est exact, princesse. Jusque-là, je n'avais jamais quitté ma côte…

– Eh bien, tu as vu, mon ami, ce qui arrive quand on modifie ses habitudes ! Courage ! Comme c'est toi que le hasard a choisi, la chambre du Pêcheur n'aura, cette

fois, qu'un occupant, qui se fera rapidement beaucoup d'amis ! En particulier Émiri, dirais-je !

Le public fut gagné par le rire. En effet, tous ceux qui avaient vécu à Fleur d'oubli racontaient encore, bien des années après, les prodiges réalisés par le cuisinier du palais.

– Saluons à présent la famille de Viritua, qui nous quitte après toute une année parmi nous ! reprit la princesse.

Avec un sourire embarrassé, les proches du précédent vainqueur étreignirent Anoï.

– Bon séjour…

– Merci à vous !

Puis, pointant le matériel de pêche qui couvrait le mur situé au fond de la pièce, Kaléa poursuivit :

– Et maintenant, Anoï, je t'invite, comme tes prédécesseurs, à déposer ici ton équipement…

– Bravo… Peut-être va-t-il laisser ma canne aussi ! grommela Purotu avant de recevoir un coup de coude de son frère.

De longs applaudissements et un chant spontané encouragèrent Anoï, tandis qu'il abandonnait sa ligne et le reste de son attirail.

Quelques musiciens se mirent à jouer la mélodie d'un vieil air traditionnel, bientôt accompagnée par les doux

accents de guitares et de flûtes. Depuis la mer et les plages sous le vent, on mit à l'eau les premiers lumignons : des bougies flottant sur de minuscules paniers.

– Avant que le bal ne commence, intervint Kaléa en réclamant un dernier moment de silence, j'aimerais vous présenter Khalil Zaba, un important savant qui a eu l'infortune de naufrager au large de nos côtes.

La musique s'interrompit et le jeune homme, appuyé sur sa béquille, clopina pour rejoindre la princesse, à côté de l'Aquarium. Éclairée par les reflets de l'eau, Kaléa avait l'air d'une créature tout droit sortie de la mer ; légère et gracieuse, elle semblait transportée par l'émotion.

Khalil Zaba salua, et remercia la princesse ainsi que tout le royaume des Coraux de lui avoir sauvé la vie. Puis Tiaré s'avança pour lui offrir une guirlande de fleurs en signe de bienvenue.

Lorsque la jeune fille fut tout près, il eut un mouvement de recul, comme si quelque chose en elle l'avait effrayé, ou menacé dans ce qu'il avait de plus secret…

Après ce discours, tous se dirigèrent vers la salle du trône, dont le vaste patio donnait sur le jardin et les haies fleuries du labyrinthe. Des rideaux de lin blanc suspendus aux arcades ondulaient au gré de la brise marine.

La fête des Mille Lumières

Mille pétales jonchaient le sol de sable dur, dont le centre et les bords étaient incrustés de motifs en coquillage. Ornée de bouquets et d'autres compositions florales, la table de banquet dressée par Émiri était un festival de couleurs et de parfums.

La princesse Kaléa ouvrit le bal. Un groupe de guitaristes et de percussionnistes utilisant des instruments faits à partir de graines et de noix de coco créa une atmosphère de fête, qui ne tarda pas à gagner toute la salle.

La princesse dansa avec Anoï, puis se chercha d'autres cavaliers. Elle croisa les yeux de Purotu, qui, faisant la moue, se déroba. Quant à Naéhu, il feignit de regarder ailleurs.

Son choix s'arrêta donc sur Khalil Zaba, qui s'approcha en boitillant.

– Princesse, je ne suis vraiment pas le meilleur danseur de cette soirée…

– Vous êtes notre hôte, professeur.

– Mais désormais tous les hommes du royaume vont me haïr !

– Impossible, mes sujets ne connaissent pas la haine !

– Vous êtes ravissante, la complimenta-t-il.

Le visage de la jeune fille rayonna et elle baissa

brièvement les yeux avant d'observer ceux de son cava-
lier : ils étaient gris, ou peut-être d'un bleu très sombre.
Sur la plage, ils lui avaient semblé plus clairs, mais ce
soir-là ils étaient aussi profonds que la mer.

La première danse fut longue, interminable. Kaléa se
sentait légère et se laissait conduire en toute sérénité.
Malgré la jambe blessée de Khalil, tous deux virevol-
taient sans presque toucher terre. Ils continuèrent à
danser jusqu'à l'épuisement, puis sortirent prendre l'air.
Ils bavardèrent ensuite de choses sans importance, qui

les firent rire de temps à autre. À un moment, Khalil rentra chercher deux coupes de nectar de fruit.

Demeurée seule, Kaléa remarqua deux jeunes gens à l'écart. La fille était très belle et souriait, tandis que le garçon, un brin intimidé, lui offrait le nautile de l'amour. Selon la tradition, quand un jeune homme remettait ce coquillage à l'élue de son cœur, celle-ci devait le jeter à la mer pour sceller leurs sentiments.

La princesse suivit la scène avec attendrissement. Tandis qu'elle rêvait les yeux ouverts, elle sentit qu'on l'observait. Se retournant, elle découvrit Purotu debout à côté d'Anoï : dans son regard brûlait le feu du soupçon.

13

Le jardin du palais

Les jours passant, la santé de Khalil Zaba s'améliora, si bien qu'il pouvait désormais se déplacer sans béquille. Un après-midi particulièrement venteux, Kaléa l'invita à visiter le jardin du palais.

– Toutes mes félicitations, princesse ! lui dit-il en progressant lentement à l'abri de la longue haie du labyrinthe. Cet endroit est une splendeur !

– Je vous remercie, professeur Zaba. Et venant de vous, cette appréciation prend encore plus de valeur. C'est très aimable de votre part.

Les fortes bourrasques ébouriffaient les cheveux de Kaléa.

– Aimable ? Pas du tout ! Je le pense vraiment ! Cette

Le jardin du palais

haie de fleurs est le rêve de tout botaniste ! Qui donc l'a
plantée ? Et comment le jardinier s'y est-il pris pour créer
pareille atmosphère ? Merveilleuse, c'est le seul mot qui
me vient ! Tout comme l'est celle qui règne sur ce lieu !

Le visage de Kaléa prit une couleur proche de celle de
sa chevelure. Luttant pour retenir ses longues mèches
soulevées par le vent impérieux, elle se sentit brusquement fragile et troublée.

Son esprit ingénu, romantique et rêveur vacillait face
aux compliments de cet étranger à la fois posé, attentif
et mystérieusement charmant.

Ils atteignirent bientôt un arbre dont la cime était
parfaitement ronde. Khalil caressa délicatement les
feuilles de ce phénomène végétal.

– On dirait… un minuscule uru. un arbre à pain
miniature. Je n'en ai jamais vu de semblable au cours de
mes voyages ! Pas plus qu'il ne figure dans l'ensemble
des livres que j'ai pu consulter.

– En effet, il me semble que c'est un exemplaire
unique, confirma Kaléa. Pour ce que j'en sais, c'est
Helgi, le jardinier de mon père, qui l'a planté, avant de
partir vers le nord. Mon père parlait de lui comme du
plus habile horticulteur des Cinq Royaumes…

Sur ces mots, la princesse se tut, comme hésitante.

– La renommée d'Helgi le précède et votre père était un souverain juste et avisé. Il parvenait à régner sur un territoire très vaste, presque infini…

Kaléa sourit faiblement. Elle n'avait guère envie de se livrer, pourtant quelque chose semblait la pousser à le faire.

– Quand j'étais toute petite et que les Cinq Royaumes se confondaient encore dans le Grand Royaume, l'homme qui le gouvernait était terriblement malfaisant. Mais cela, vous le savez déjà…

L'expression de Khalil se contracta imperceptiblement.

– … et peut-être que cela ne vous intéresse guère…

– Bien au contraire… répliqua-t-il. Vous n'imaginez pas à quel point… Je n'ai jamais approfondi l'histoire de toutes ces terres. Ayant consacré beaucoup de temps à l'étude de la botanique, j'ai négligé le reste. Un homme très malfaisant, disiez-vous…

– C'est cela ! Mon père l'a affronté et a eu le dessus. Mais le prix à payer a été la division du Grand Royaume en cinq plus petits, dont les couronnes ont été confiées à ses cinq filles.

– Je connais la réputation des cinq princesses, ainsi que la beauté de votre sœur Samah, qui veille sur le royaume du Désert. Mais, pour être franc, je ne puis imaginer plus

ravissante jeune fille que vous ! Bien plus qu'au royaume de la Fantaisie, je suis au pays… des merveilles !

Kaléa émit un petit rire gêné.

– Vous n'avez pas l'impression d'être impertinent ?

– Ai-je dit quelque chose d'inconvenant ?

– Mes sœurs et moi sommes très différentes, murmura la princesse.

– Je n'en doute pas. Je dis seulement que vous êtes assurément la plus exquise !

– Vous cherchez à me flatter ! rétorqua Kaléa en tentant de dissimuler combien ce discours lui avait plu.

À cet instant, un insecte se posa sur l'épaule de Khalil.

– Regardez, un coléoptère ! s'exclama Kaléa.

– Oui, mais ne bougez pas pour ne pas le faire fuir !

– Ce doit être la saison. Figurez-vous que j'en ai vu un pareil à celui-ci dans mes appartements, hier soir !

– Quelle étrange coïncidence !

– Il a très exactement la couleur de la mer : bleu cobalt. Et il est très beau, je trouve ! Ce n'est pas un insecte courant par ici !

– Il me semble que les coléoptères cobalt sont de bon augure, princesse !

– Vous vous y connaissez ? s'enquit-elle en souriant.

– La plupart de ces petites bêtes sont indispensables à la reproduction des plantes. J'en sais donc un brin à leur propos. Mais si celle-ci se trouvait hier dans votre chambre et maintenant sur mon épaule… j'espère que c'est bon signe !

– Professeur Khalil ! l'interrompit Kaléa en rougissant de nouveau et en élevant la voix pour travestir son amusement en indignation. Cette fois, je vous le confirme : vous êtes vraiment impertinent !

Effrayé, le coléoptère s'envola.

– Vous avez vu : vous l'avez fait partir !

– Vous savez, un jour j'ai lu que les coléoptères cobalt… eh bien, on dit que la nuit, ils…

La princesse sembla soudain confuse.

– Que la nuit… ? répéta Khalil Zaba, curieux de connaître la fin de la phrase.

Mais Kaléa secoua la tête.

Le jardin du palais

– Je ne m'en sou-
viens pas… C'était
un détail, peut-être
une légende, sur le
pouvoir de persuasion
qu'ils exerceraient sur
nos esprits…

– Ah oui ? Vous
m'étonnez, princesse !
Mes connaissances en
la matière ne sont pas
aussi étendues que les
vôtres.

Ils contemplèrent en silence les fleurs, les arbres et les
trouées de ciel bleu dans la végétation.

– Nous continuons ? demanda Kaléa, après un moment.

– Vous me parliez de votre père et des Cinq
Royaumes…

– Ah oui, mais ce n'est peut-être pas si intéressant.
Et c'est un sujet plutôt triste pour moi. Je n'aurais
aucune réticence à vous raconter mes souvenirs les plus
personnels, mais cela fait remonter des sensations qui
me rendent trop mélancolique. Discutons de quelque
chose de plus…

Le jardin du palais

– Gai ?

– Oui, professeur Zaba. De plus gai. Parfois, j'ai l'impression que vous lisez dans ma pensée !

– Eh bien, il faut croire que cela arrive parfois ! répondit-il avec esprit.

14

Un intrus

– Vraiment, quelque chose en lui ne m'inspire pas confiance ! déclara Purotu.

Assis sur un siège en raphia, Naéhu lui faisait face. Le vent qui, depuis quelques jours, ne cessait de souffler, lui projetait les cheveux dans la figure. Enfin, le soleil couchant avait transformé l'horizon régulier de la mer en une bouche de feu.

– C'est juste que tu es jaloux ! répliqua calmement Naéhu.

– Moi ?! La bonne blague ! Kaléa est notre sœur !

– Certes, mais tu te comportes en garçon jaloux.

– Toi au moins, essaie de me comprendre ! Ces deux-là… se promènent ensemble… toute la journée… comme deux… deux…

Un intrus

Purotu était si fâché et énervé qu'il ne parvint même pas à finir sa phrase.

– … fiancés ? lui souffla son frère.

– C'est ça, Naéhu, exactement : comme deux fiancés !

– Et alors ? Tu sais combien Kaléa aimerait se marier. Peut-être le professeur est-il un don du ciel.

– Elle mérite un prince, pas un botaniste, qui plus est naufragé d'un bateau dont on n'a pas trouvé le moindre vestige !

– Je pense qu'il lui appartient d'en décider. Khalil est un homme très cultivé.

– Tu vois ! Tu l'appelles déjà par son prénom comme s'il faisait partie de la famille !

– Et comment voudrais-tu que je l'appelle ? Professeur Zaba ?

– Je te dis qu'il est sournois ! Il fait tout pour te plaire !

– Il s'efforce simplement d'être gentil.

– C'est bien le minimum ! N'oublie pas qu'elle… que nous lui avons sauvé la vie !

– Je le sais bien, Purotu. Mais je pense que tu es trop soupçonneux. Il faut attendre de voir comment les choses évoluent. La mer tisse sa trame intelligemment… et aime les surprises, comme un enfant !

Un intrus

– Moi, je ne les apprécie guère ! Je voudrais qu'il n'y en ait jamais.

– Que comptes-tu faire ?

– Je vais tenir Khalil à l'œil, sans qu'il s'en aperçoive, naturellement !

– Et moi, c'est toi que je vais surveiller ! le taquina Naéhu.

– Ne t'y risque pas !

– Sinon ?

– Sinon…

Purotu l'attrapa et se mit à le chatouiller. Moins d'une minute plus tard, les jumeaux, cramponnés l'un à l'autre, roulaient par terre en riant.

Quand ils eurent fini de jouer à la bagarre, tous deux étaient couverts de sable.

– Quelle allure, monsieur le poète de la cour ! plaisanta Purotu en époussetant ses vêtements.

– Tu ne t'es pas vu, Maître du Poisson d'or à la noix de coco !

– Tu dis ça uniquement parce que tu m'envies ma fonction !

– Magnifique ! Il faudrait informer Kaléa qu'elle a un frère jaloux et un autre envieux ! Que rêver de mieux !

Un intrus

Purotu finit d'arranger sa mise, secoua sa tignasse indisciplinée et dit :

– Je te laisse à tes livres. Je fais un saut à la salle de l'Aquarium vérifier que tout est en ordre…

– Ne te prive surtout pas de passer chez Émiri, histoire de savoir ce qu'il prévoit pour le dîner !

Purotu s'éloigna en tirant la langue.

Après avoir traversé l'île d'un pas rapide, il pénétra dans les salles obscures du palais. Des rayons de lumière éclairaient une partie des salons, peuplés de larges ombres vacillantes.

Dans la salle de l'Aquarium, le poisson nageait paisiblement à l'intérieur de son vaste bassin doublé de cuivre. Celui-ci était monté sur un socle à peine moins haut que le garçon. À l'intérieur de la cuve, l'eau limpide et propre était continuellement renouvelée grâce à un système de canalisations en roseau. Celles-ci acheminaient l'eau fraîchement puisée dans la mer, tout en évacuant celle traitée par l'animal dans une série de récipients placés sous la cuve.

Alors qu'il était perdu dans la contemplation du poisson, Purotu vit une ombre bouger.

– Qui va là ? demanda-t-il d'un ton impérieux.

Pas de réponse.

Un intrus

– Qui que vous soyez, montrez-vous !

Traversant la pièce, une silhouette se rua vers lui. Stupéfait de constater qu'il y avait bel et bien quelqu'un, le garçon se cacha prestement derrière l'Aquarium. L'ombre laissa voir le bâton qu'elle tenait. Purotu esquiva un coup, mais perdant l'équilibre, tomba malencontreusement à la renverse et heurta la cuve.

Le bassin tangua sur sa base, puis bascula par terre dans un bruyant clapotement d'eau versée. Les solides protections de cuivre résonnèrent au contact du sable damé, tandis que les bonbonnes remplies d'eau curative éclataient en mille morceaux. La tête de Purotu

Un intrus

frappa violemment le bord de la cuve et le garçon s'évanouit.

La dernière chose qu'il vit, et qui l'épouvanta, fut le Poisson d'or qui tombait et se débattait au sol. Enfin, il entendit une voix d'homme crier :

– Que se passe-t-il ?

Puis plus rien.

Sans y réfléchir à deux fois, le professeur Zaba courut récupérer le poisson, qui s'agitait frénétiquement.

Anoï surgit de sa chambre.

– Toi, occupe-toi du garçon ! lui ordonna Khalil.

Sans ajouter un mot, le botaniste saisit l'un des filets accroché au mur et y glissa l'animal, avant de se précipiter vers la baie Blanche. Malgré de fortes douleurs à la jambe, il s'efforça de courir. Une fois sur la plage, il attacha une extrémité du filet au tronc d'un palmier et plongea le reste dans l'eau pour permettre au poisson d'y barboter. Il s'assura que le nœud ne pourrait pas se défaire et que les mailles n'avaient aucun accroc, puis repartit au palais secourir Purotu. Mais sa jambe lui faisait si mal qu'il dut ralentir.

Quand Khalil rejoignit la salle de l'Aquarium, le garçon n'était plus là. À sa place se tenait la princesse, en larmes.

– Professeur Zaba !

Un intrus

– Comment va Purotu ? demanda-t-il aussitôt.

– Le guérisseur est en train de le soigner. Savez-vous ce qui est arrivé ?

– Malheureusement non. J'ai entendu la voix de votre frère et juste après… un grand fracas…

Bouleversée, Kaléa porta les mains à sa bouche.

– Et qu'est devenu le poisson ?

– J'ai réussi à le sauver. Il se trouve à la baie Blanche, dans un filet plongé dans l'eau.

– Grâce au ciel ! s'exclama la princesse, soulagée.

Naéhu s'élança pour aller le récupérer.

– Non, attends ! Demande à quelqu'un de t'aider ! lui conseilla la princesse, craignant qu'il ne provoque une catastrophe.

Puis, se tournant à nouveau vers Khalil, elle lui dit :

– Je vous remercie, professeur Zaba. Si vous n'aviez pas été là…

– Je vous en prie, princesse, je n'ai rien fait de spécial.

Kaléa lui pressa les mains.

– Oh si, bien plus que vous ne croyez. Mais à présent, je dois tout remettre en ordre.

– Allez-y ! l'encouragea le jeune homme. La douleur à ma jambe est devenue si insupportable… que je ne pense plus pouvoir vous être d'une grande utilité.

15

Tiaré

près l'incident de la salle de l'Aquarium, un jour avait suffi aux artisans du royaume pour réparer la cuve doublée de cuivre et renforcer son socle. Ainsi le Poisson d'or avait-il pu rapidement regagner son bassin.

À le voir nager souplement et resplendir à la lumière du jour, Kaléa se sentit le cœur plus léger. Dommage que de l'eau médicinale ait été gâchée, mais l'animal était bel et bien vivant ! Et on ne le devait qu'à une personne : Khalil Zaba.

Parcourant les couloirs de l'aile sud, la princesse perçut une énième prise de bec entre ses frères.

– Tout ça, c'est la faute de l'ombre ! plaidait Purotu,

depuis le lit où le médecin l'avait cantonné afin qu'il se repose.

Le garçon s'en était sorti avec une énorme bosse, une méchante plaie au front et un violent mal de tête. Tout le temps qu'il était resté sans connaissance, Naéhu était demeuré à son chevet. Et même maintenant que l'intrépide garçon piaffait de se remettre debout, il ne le quittait pas.

– L'ombre de quoi ?

– D'un homme, voyons ! Avec un bâton ! expliqua Purotu.

– Il n'y a guère qu'un homme qui se promène avec un bâton : celui qui a sauvé le Poisson d'or !

– Si ce n'est pas Zaba… qui donc a fait le coup ?

Alors que Naéhu lui adressait un regard perplexe, Purotu secoua la tête, l'air contrarié.

– Tu ne crois quand même pas que c'est moi seul qui ai causé un tel désastre ?! Puisque je te dis qu'il y avait quelqu'un d'autre !

– Que tu n'as pas vu, mais qui était armé, c'est ça… soupira Naéhu. Mais enfin, il faisait déjà nuit quand tu es entré dans le palais… Et à part Anoï et le professeur, qui ont volé à ton secours, la pièce était vide !

– Je t'assure que…

Tiaré

Kaléa sourit. Elle connaissait le caractère soupçon-neux de Purotu et avait appris à ne pas y accorder trop d'importance. Tout comme à Naéhu, il lui était arrivé de devoir tempérer la fougue de son frère, qui aurait donné sa vie pour défendre Fleur d'oubli et le royaume.

Un lézard domestique pressa légèrement sa queue contre les chevilles de la princesse pour attirer son attention. Sa tête était coiffée d'une petite couronne de fleurs. Difficile de ne pas en reconnaître l'auteur : c'était l'œuvre de Tiaré.

– La jardinière m'attend ?

Le lézard opina.

– Très bien. Conduis-moi auprès d'elle.

D'un pas lent, il la mena à travers les allées du laby-rinthe. Assise sur un banc en bambou, Tiaré l'attendait avec, sur les genoux, un panier de fleurs qu'elle venait de cueillir. Examinant le contenu de la corbeille, elle s'ef-forçait de mettre de côté certains boutons. La jeune fille portait une longue robe de coton jaune, qui lui descen-dait jusqu'aux pieds et la faisait ressembler à l'une de ses protégées au parfum suave.

– Bonjour, princesse ! salua Tiaré en se levant pour faire la révérence.

Tiaré

– Bonjour, ma douce. Je t'en prie, reste assise ! Tu voulais me parler ?

– En effet, princesse. As-tu remarqué cette brise !

– Quelle brise ?

– Cette année, certaines fleurs ont éclos plus tôt que d'habitude, alors que d'autres sont franchement en retard. Ce n'est pas normal. Et je pense que c'est lié au vent d'est qui, depuis quelques jours, ne cesse de souffler sur notre jardin !

Kaléa réfléchit un instant.

– Cela t'inquiète ?

– Un peu, princesse. Ce vent est très bizarre et ne semble pas vouloir tourner.

– Le vent est comme ça, Tiaré ! Depuis toujours et pour l'éternité !

– Mais il parle, princesse ! Il murmure avec beaucoup d'insistance ! Des histoires lointaines qu'on ne devrait jamais plus raconter. Or ce n'est pas la première fois qu'un tel vent se manifeste !

Tiaré

– Quand est-ce arrivé ?

– Durant les années de guerre… répondit à voix très basse Tiaré. Il soufflait très fort, depuis l'est, emportant toutes les fleurs, quand… ton père…

– Continue !

– En vérité, lorsque le Roi sage a gagné son combat… il n'a pas exécuté le Vieux Roi malfaisant, ni même ses partisans ou ses généraux. Il s'est servi d'un poème, *Le Chant du sommeil*, pour endormir le souverain et sa cour. Et la dernière chose dont je me souvienne est ce même vent d'est, qui s'est levé avant même que ton père n'ait terminé. Il était identique à celui-ci, mais immensément plus fort…

– Tiaré, tu me fais peur…

– Ce n'est pas mon intention, mais je préfère t'effrayer inutilement plutôt que regretter un jour de ne pas avoir parlé.

– Regretter ? Mais pourquoi cela ? Que cherches-tu à me dire ? Quel rapport y a-t-il entre le vent d'alors et celui d'aujourd'hui ?

– Je l'ignore, princesse. Mais je sens quelque chose de malsain au palais. Une chose qui rampe sur le sable… et laisse une trace partout où elle se glisse… Une trace sans odeur. Nette comme la lame d'un couteau.

Tiaré

Comprends-tu? C'est comme une chose capable de fendre l'air.

«Une lame de couteau?» médita Kaléa. Elle pensa aux conflits passés, lointains et à ceux qui pourraient éclater dans le futur. «Ce n'est pas la paix qui transforme un empire, mais les guerres qui redistribuent les cartes des territoires, des villes et de leurs populations», songea-t-elle.

Kaléa était la fille de celui qui avait gagné la dernière guerre. Elle avait grandi à l'ombre du Roi sage, de la reine et de leur palais. Tandis que les vaincus, l'ancien souverain et sa suite, avaient été endormis, dans l'assourdissant silence du Vieux Palais, et exilés sur l'île Errante, au large de la mer des Passages. La princesse pensa alors au couplet du *Chant du sommeil* que son père lui avait confié et aux quatre autres précieusement gardés par chacune de ses sœurs.

Voilà à quoi servaient ces vers et pourquoi leur père leur en avait imposé le secret.

– Princesse? appela Tiaré pour capter son attention.

– Oui, parle, Tiaré! répondit Kaléa en s'arrachant à ses mille et une pensées.

Tiaré

– Une dernière chose ! Les fleurs perçoivent tout ce qui est étrange, même lorsque c'est infiniment subtil.

– Et ?

– Eh bien, je ne sais pas comment t'expliquer cela, mais l'autre soir, quand tu assistais à la soirée avec le naufragé…

– Oui ? l'encouragea Kaléa.

– Je n'ai pas réussi à distinguer son odeur.

– Que veux-tu dire ?

– Je n'en suis pas sûre, mais il me semble que cet homme n'en dégage aucune. C'est comme si sa peau, ses cheveux… ne sentaient rien.

Kaléa en resta sans voix. Jamais de toute sa vie elle n'avait entendu pareille chose. Encore moins de la bouche de Tiaré.

– Tu en es certaine ?

– Non, princesse. Mais un détail m'a frappée : à la fête des Mille Lumières, je suis allée vers Khalil Zaba pour lui offrir une couronne de fleurs. Anoï et toi-même étiez à côté… Mais de ces deux étrangers n'émanait qu'une seule odeur, comme si l'un d'eux avait quelque chose de bizarre, de surnaturel. Et quand je me suis approchée de Khalil…

Tiaré s'interrompit et se tourna vers les haies qui menaient au palais royal. Quelqu'un arrivait.

16
Une requête inattendue

Le guérisseur des îles surgit du fond du labyrinthe.

– Bonjour, princesse ! Bonjour, Tiaré !

– Je vous salue, guérisseur ! répondit Kaléa, un peu surprise. M'apportez-vous de bonnes nouvelles ?

– Si vous faites allusion au jeune homme, il va de mieux en mieux. Il a une excellente constitution. D'ici à quelques jours, il pourra ressortir en mer.

Un sourire illumina le visage de Kaléa. C'était à nouveau l'un des merveilleux sourires dont elle était coutumière. Jamais encore la nature enjouée et insouciante de la jeune fille n'avait été confrontée à des tensions et à des émotions aussi perturbantes que celles des derniers jours.

Une requête inattendue

– Merci infiniment ! répondit-elle, visiblement soulagée.

– Je n'y suis pas pour grand-chose… Et je venais vous voir à un tout autre sujet.

Kaléa congédia Tiaré et marcha avec le guérisseur en direction du palais.

– Je vous écoute ! dit-elle lorsqu'ils furent seuls.

– Vous savez, princesse, que je me cherche depuis très longtemps un successeur.

Kaléa hocha la tête.

– Eh bien, je crois l'avoir trouvé…

Depuis la légère éminence sur laquelle ils se tenaient, on apercevait un coin de plage et la fenêtre de la chambre où Purotu se reposait.

– Vous parlez de Purotu ?

– En fait, non ! Je faisais référence à votre hôte inattendu.

– Khalil Zaba ?

– C'est cela, princesse.

– Pourquoi lui ?

La fatigue contracta les traits du guérisseur.

– Cet homme a quelque chose de

Une requête inattendue

spécial. Cela ne tient pas simplement au fait qu'il étudie les plantes. C'est comme s'il avait une nature fondamentalement différente... de celle de tous les autres.

– Et s'agit-il d'une particularité... négative ? s'enquit la princesse en sentant un étrange élancement au cœur.

– Tout au contraire, princesse ! C'est un don, un don de la mer ! s'exclama le médecin d'un air euphorique.

« Un don de la mer... répéta intérieurement la jeune fille. Il a sauvé le Poisson d'or, il est avisé et aimable. Il a un regard profond et le port d'un prince... »

Sans raison apparente, son cœur se mit à battre plus vite. Les propos du guérisseur avaient libéré ses pensées. Des réflexions, des hésitations et des émotions qu'elle n'était pas encore prête à accepter dans leur intégralité. Khalil lui avait-il fait un tel effet ? Était-elle en train de tomber amoureuse ?

– Je suis venu vous trouver, princesse, poursuivit le vieillard, pour vous demander l'autorisation... d'inviter le professeur Zaba à me suivre sur mon atoll afin que nous puissions nous livrer à la préparation requise.

L'esprit de Kaléa s'embrouilla.

– Comment ? Quelle préparation ?

– J'aimerais lui montrer mes herbes et mes remèdes... pour qu'il puisse me remplacer.

Une requête inattendue

Khalil Zaba ? Sur l'atoll du vieux médecin ? Mais il venait à peine d'arriver ! Il ne pouvait pas déjà repartir ! Qui plus est, pour se rendre dans un endroit aussi isolé, où il disparaîtrait de sa vue ! À l'idée de le savoir si loin, Kaléa comprit toute la fascination que cet homme exerçait sur elle et l'inquiétude nouvelle, totalement inconnue, qu'il lui inspirait.

– Si c'est également ce qu'il veut... balbutia la princesse, je ne m'y opposerai certainement pas.

– Savez-vous où il est ?

– Malheureusement pas. Mais je me ferai un plaisir de le mener à vous dès que je le verrai.

– Je vous remercie, princesse.

Le vieillard esquissa un lent demi-tour, puis s'arrêta en soulevant une main.

– Il y a une dernière chose, si vous le permettez : j'aimerais que vous ne parliez de rien au professeur. Je préférerais tout lui expliquer moi-même, si vous en êtes d'accord, bien sûr.

– C'est entendu et cela me semble juste ! répondit Kaléa, la voix altérée. Et maintenant, veuillez m'excuser, mais je dois regagner le palais.

Une fois parvenue dans ses appartements, Kaléa referma la porte derrière elle et s'y adossa. Un silence

Une requête inattendue

magique, que seul le ressac et le gazouillis de petits oiseaux derrière la fenêtre venaient troubler, l'enveloppa. Elle regarda autour d'elle : la vieille coiffeuse en bois peint sur laquelle trônaient ses produits de beauté était toute proche. Elle plongea une main dans un pot rempli d'une fine poudre rosée, sur laquelle elle referma les doigts. Elle retira une poignée du précieux fard et, soufflant dans la paume de sa main, le fit voler à travers la pièce. De minuscules particules se dispersèrent dans

Une requête inattendue

l'air lumineux, qui, en cette fin de matinée, pénétrait par la porte-fenêtre. Sur la droite, un miroir doré, seul héritage de sa mère, lui renvoya son image : ses yeux paraissaient inhabituellement tristes. Même ses cheveux, d'ordinaire si brillants et vigoureux, semblaient mous et sans vitalité.

Que lui arrivait-il donc ? Elle éprouvait des sentiments nouveaux et contradictoires : l'amour pouvait-il engendrer un tel abattement ? Selon elle, il n'aurait dû apporter que du bonheur et de la sérénité. C'est ce qu'elle, en tout cas, avait toujours désiré : un amour comme celui qui se reflétait dans le regard de ses parents !

Continuant à rêver les yeux ouverts, la princesse se laissa tomber sur son immense lit en bambou tressé.

17

Pierre d'algue

Le jeune homme nageait dans les eaux chaudes et lumineuses qui avaient jadis englouti l'ancienne cité de Pierre d'algue. Celle qui à une époque avait bruissé du babillage et des échos divers de la rue reposait désormais dans le silence presque féerique du monde sous-marin. Après avoir abandonné sa pirogue à la surface des flots, il s'était enfoncé à grandes brassées et avait progressé à vive allure dans les profondeurs cristallines.

Lorsqu'il parvint dans l'une des principales rues de la ville, son cœur pourtant endurci tressaillit. Ce monde immergé offrait un spectacle incroyable et à nul autre pareil : des statues de pierre blanche, striées d'algues

multicolores, se dressaient encore, dans toute leur majesté, le long de la chaussée pavée. L'aménagement de cette voie triomphale donnait un poignant aperçu de ce que cette glorieuse cité avait dû être au temps de sa splendeur.

Des deux côtés de la rue s'alignaient d'imposants édifices, avec des linteaux et des corniches aux bas-reliefs intacts. Partout subsistaient les signes de la richesse et du faste d'un empire disparu, même après que sa beauté se fut délabrée.

Tandis qu'il avançait sans ménager ses forces, le jeune homme maudit l'outrecuidance du Roi sage, et, face à un temple effondré, se jura une fois de plus de restaurer l'ordre ancien et naturel. Son palais ne serait pas un second Pierre d'algue, empire basculé au fond de l'abysse et dans l'oubli des flots. Bientôt sa cour se réveillerait ! Nageant avec une folle détermination, il resta sous l'eau bien plus longtemps que n'importe quel autre homme. De fait, il détestait se sentir humain, car à ses yeux il était unique. Ainsi ne cessait-il de se lancer des défis pour repousser ses limites et continuer à s'améliorer.

Examinant jusqu'aux recoins les plus cachés de la ville engloutie, il découvrit l'entrée de plusieurs grottes. Il

savait que le sous-sol de certaines îles était criblé de très vieux trous, creusés à partir de la mer. Il avait soigneusement étudié la géographie du royaume des Coraux, passant des nuits entières à en mémoriser les cartes aux innombrables atolls. Ainsi s'était-il imaginé pouvoir dénicher seul ce qu'il cherchait, qui devait se trouver là, quelque part du côté des trois principales îles, il le savait… ou tout au moins l'espérait !

Ne remontant que quand ses poumons lui paraissaient sur le point d'imploser, il explora Pierre d'algue, mètre par mètre. Enfin, il pénétra dans ce qui lui semblait être l'un des plus importants bâtiments de la cité. Derrière un amas d'algues vert vif qui retombaient en cascade comme pour cacher un trésor, il discerna une petite ouverture. C'était l'entrée d'un passage où ne pouvait s'engager qu'une personne à la fois. À quoi tout cela pouvait-il servir sinon à dissimuler un bien que nul ne devait trouver ?

Le jeune homme pénétra dans le boyau rocheux et le parcourut jusqu'au point où celui-ci remontait vers la surface. Il nageait aussi vite qu'il le pouvait, mais ses poumons se vidaient rapidement.

Il refit surface au beau milieu d'une petite étendue d'eau souterraine. Perdu dans l'obscurité, il tenta

Pierre d'algue

d'aspirer un peu d'air. Sa respiration haletante se fit progressivement plus régulière. Juste après qu'il eut atteint le bord à tâtons, un rayon de lumière filtra dans l'eau, illuminant les profondeurs de ce qui se révéla une grotte de pierre blanche, hérissée de stalactites et de stalagmites.

Il promena la paume de ses mains sur toute sa surface, sans trouver ce qu'il cherchait.

Déçu, il replongea et poursuivit sa quête.

18

La voie engloutie

près un repos réparateur, la princesse Kaléa se réveilla, comme à son habitude, de bonne humeur. Elle s'étira puis regarda par la fenêtre entrouverte : l'après-midi était déjà bien avancé.

Les événements de la matinée l'ayant secouée, elle avait terriblement envie de humer l'air de la mer. Rien de mieux qu'une promenade sur la plage pour retrouver calme et courage !

Elle enfila une tunique en toile lavande et attacha ses cheveux avec un cordon en cuir. Marchant à pas feutrés pour éviter qu'on la remarque, elle se dirigea vers une porte située à l'arrière du palais, traversa le labyrinthe et atteignit une petite falaise. Là, elle se campa sur ses jambes et siffla.

La voie engloutie

Au bout de quelques minutes surgit des vagues le dos noir et brillant de Garcia, l'orque royale. Kaléa lança un dernier coup d'œil derrière elle et descendit le rejoindre.

– Coucou, Garcia ! le salua-t-elle lorsqu'elle fut dans l'eau.

L'animal se mit à bondir autour d'elle en émettant des sons aigus faisant penser à de petits rires.

– Twiiit ! Twiit ! Twiiit !

– Oui, tu m'as manqué, à moi aussi !

L'animal avait la peau lisse et luisante. Après s'être faufilé sous les pieds de Kaléa, il refit surface et la fixa de ses yeux minuscules.

– Et si tu m'emmenais sur l'île du Soleil ?

Garcia replongea puis exécuta un grand saut qui fit jaillir de spectaculaires gerbes d'eau tout autour de la princesse.

Kaléa éclata de rire.

– Tout doux ! Sinon ils vont nous repérer !

– Twiiit ?

– Eh oui, on fait une fugue ! Rien que toi et moi !

L'instant d'après, Kaléa s'agrippa à la nageoire dorsale de l'orque et fendit les flots en compagnie de son ami. Bondissant dans les vagues comme deux créatures marines, ils laissèrent à leur droite la falaise escarpée de

La voie engloutie

l'île de la Lune. Comme le père de la jeune fille l'avait désiré, la lumière tournante du phare éclairait la mer, de jour comme de nuit.

Portée par son orque préférée, la princesse volait sur l'eau. Il s'était passé bien des choses dans le royaume récemment, et toutes en même temps ! songea-t-elle. L'arrivée de Khalil, l'agression de Purotu, le sombre présage de Tiaré, le choix du successeur du guérisseur des îles, tous ces événements se bousculaient dans sa tête.

La voie engloutie

– Que dois-je faire ? demanda-t-elle à Garcia alors qu'ils poursuivaient leur route.

– Twiit ! Twiit !

Kaléa avait appris, il y avait longtemps déjà, à prendre ses décisions toute seule.

Une nouvelle fois, le rayon de lumière jaillissant du sommet du phare capta son attention. Elle pensa à Moéa, la gardienne du lieu, si solitaire et réservée. Qui sait ce qu'elle pouvait faire en cet instant ? La princesse l'imagina occupée à ranger les dizaines de coquillages et la collection d'objets marins qu'elle conservait sur ses étagères. Kaléa était encore toute petite quand les parents de la gardienne avaient disparu dans une tempête. La jeune Moéa s'était alors établie dans cet endroit isolé avec tout ce qu'elle possédait : quelques vêtements, de rares ustensiles domestiques et un bon paquet de livres.

«Comme il est difficile de saisir le sens des choses, se dit la princesse en s'abandonnant aux mouvements de l'orque. Peut-être devrais-je rendre visite à Moéa…» Celle-ci était toujours de bon conseil. Kaléa pourrait lui amener Khalil, le lui présenter, comme on le fait à ses parents, afin de connaître son opinion sur ce jeune homme venu de la mer.

Lorsque Kaléa et Garcia parvinrent à destination, le

soleil était sur le point de se coucher. Les ombres des feuilles des palmiers s'étiraient sur la plage, dont le sable rosissait aux dernières lueurs du jour. On eût dit de longs doigts tendus pour retenir les vagues. La princesse aussi se sentait, pour la première fois de sa vie, emportée par le courant. Apaisée par l'agréable sensation du sable frais sous ses pieds, elle déambula sans but précis. Le feu du crépuscule embrasa le ciel. S'élançant au-dessus de l'écume blanche des vagues, Garcia dessina des cercles dans l'air.

Petit à petit, Kaléa retrouva la paix et la sérénité. Elle marcha le long de la plage jusqu'à apercevoir une ligne légèrement ridée à la surface des flots. C'était un reflet, une trace au beau milieu de l'eau, que Kaléa connaissait bien. Elle se nommait la «voie engloutie».

«Rappelle-toi, Kaléa, lui avait dit le roi son père avant de s'en aller, ce chemin te conduira vers un avenir sûr. Ne l'emprunte que lorsque tu devras prendre des décisions importantes. Fais-en bon usage!»

«J'ignore quel parti prendre… pensa la princesse. Dois-je prier Khalil de rester à la cour ou le pousser à accepter la proposition du guérisseur? Vaut-il mieux écouter les soupçons de Purotu et de Tiaré ou suivre mon instinct?»

La voie engloutie

Elle pénétra à nouveau dans l'eau. Après quelques pas sur le sable, ses pieds foulèrent une surface dure : c'était la pierre pavant la voie engloutie. Kaléa en parcourut un segment, suivie de Garcia, qui ondulait à sa gauche. La mer, aussi rouge que les braises d'un feu de joie, était très calme. Les derniers rayons du soleil permirent à la jeune fille de distinguer le tracé du chemin secret, qui s'étendait loin devant, jusqu'à l'île de la Lune. C'était une ancienne route de Pierre d'algue, oubliée juste après qu'elle eut disparu sous les flots.

Comme l'en avait informé Tiaré, la brise venait de l'est. Kaléa songea au couplet du *Chant du sommeil* qui lui avait été confié. Depuis des mois, voire des années, celui-ci était enfoui au plus profond de sa mémoire, mais ce jour-là, on eût dit que le vent lui en avait rapporté les paroles.

Pour plus de sécurité, ces vers avaient été gravés sur une feuille d'argent, enfermée dans un écrin de corail de belle facture et cachée dans une crevasse au bout de la voie engloutie. Le pouvoir de ce très ancien chant ne lui avait jamais été révélé. Pourquoi Tiaré en avait-elle parlé maintenant ? Jusque-là, Kaléa savait seulement qu'en le récitant elle retrouvait sa bonne humeur. Chaque fois qu'elle se sentait troublée, il avait le don de rétablir l'harmonie entre elle et son royaume.

Fouillant dans sa mémoire, elle en fit remonter les vers qui formaient le deuxième couplet du chant.

> *– Roi du plus profond des sommeils,*
> *Souverain de la paix du monde,*
> *Ô toi, tout-puissant esprit de l'eau et du sel,*
> *Je t'invoque, maître des insondables ondes.*
> *À l'éternel repos condamne le tyran,*
> *Qui jadis causa d'épouvantables tourments.*

Après avoir articulé ces mots, Kaléa ferma les yeux et attendit la quiétude qu'elle espérait tant. Elle essaya de se souvenir du visage de ses sœurs. Comme elles avaient dû grandir ! et changer ! Elles lui manquaient tellement…

– Twiit ! Twiit ! fit Garcia, au milieu des vagues.

Kaléa regarda sa fidèle orque et lui sourit.

Se laissant aller au gré des flots, elle étreignit de nouveau l'animal et s'éloigna de la voie engloutie.

Il ne fallut pas plus de quelques minutes à Garcia pour la ramener à Fleur d'oubli. Puis la princesse retraversa le labyrinthe de fleurs sans être dérangée.

Enfin, elle se coucha paisiblement et destina sa dernière pensée à Khalil.

« Demain, songea-t-elle, je t'emmènerai parler au guérisseur. »

Mais avant que le sommeil ne la gagne complètement, elle entendit résonner dans le silence de sa chambre un subtil battement d'ailes. Il lui sembla alors percevoir un murmure, une question formulée à son oreille :

– Où est le couplet ?

Se retournant dans son sommeil, elle tenta de saisir le fragment de rêve qui la tourmentait et de répondre au chuchotement, dans l'espoir de le faire taire.

19
Un nouveau guérisseur

Le guérisseur des îles patientait dans l'un des salons de l'aile nord du palais. La princesse avait voulu cette pièce sans plafond afin que l'on puisse à tout moment y contempler le firmament. C'était une splendide journée ensoleillée, sans le moindre nuage. Une fraîche et persistante brise d'est avait nettoyé le ciel et faisait bouger des éclats de miroir suspendus à un filet de pêche, au-dessus de la tête du médecin. Une myriade de reflets de lumière dansait ainsi à travers la pièce. Le vieil homme était assis sur l'un des tabourets colorés disposés autour d'une table basse en sable calcifié. Lorsqu'il entendit la princesse arriver en compagnie de Khalil, il se leva.

Un nouveau guérisseur

Kaléa portait une magnifique robe en soie verte, brodée de perles grises. Afin de dégager son gracieux et délicat visage, elle avait relevé ses cheveux, que maintenaient de discrètes barrettes en coquillage de sa fabrication. Le jeune savant était, quant à lui, vêtu d'un sobre ensemble en toile, dont la tunique retombait avec souplesse et légèreté sur ses épaules. Le guérisseur s'inclina pour les saluer.

– Bonjour, princesse, et merci de m'avoir amené votre hôte !

Un nouveau guérisseur

– Vous satisfaire est pour moi un plaisir… répondit-elle d'une voix douce et calme. Sachez que je vous suis reconnaissante de ce que vous avez fait à Fleur d'oubli. À présent, je vous laisse. J'imagine que vous avez de délicates questions à traiter.

Le médecin et Khalil se saluèrent une seconde fois et attendirent que la princesse fût sortie pour s'asseoir et commencer à parler.

Le guérisseur entama la conversation :

– J'ai demandé à vous voir, professeur Zaba, pour une raison très importante.

– Je vous écoute.

– Comme vous le savez, je suis le guérisseur de ce royaume, dépositaire d'un savoir millénaire. J'aimerais transmettre mes connaissances à celui que je jugerai digne de me succéder, mais que je n'ai pas réussi à trouver, tout au moins… jusqu'à ce que je vous rencontre !

Khalil écarquilla les yeux sans bien savoir quoi répondre.

– Je comprends votre étonnement, professeur Zaba, mais je vous prie de me conserver votre attention.

– Croyez-moi, elle vous est acquise !

– Ce que je vous propose n'est ni une charge ni un travail. Devenir guérisseur relève d'une sorte de vocation, mais qui ne dépend qu'en partie de la volonté

personnelle. Cette activité exige certaines qualités innées, qu'il est impossible d'acquérir avec le temps.

Comme Khalil conservait le silence, le vieil homme poursuivit :

– Pour être plus clair, j'ajouterai que la plus importante de celles-ci est… la vision de l'invisible.

– Expliquez-vous, s'il vous plaît.

– J'userai pour cela d'un exemple. Lorsque vous côtoyez un malade, vous ne voyez pas sa maladie, mais seulement les effets qu'elle produit sur son corps, n'est-ce pas ?

– Absolument.

– Nous pouvons aussi dire qu'un bon guérisseur est en mesure de «voir» la maladie avec une certaine avance en identifiant ses tout premiers symptômes, ai-je raison ?

– Oui, c'est également vrai.

– Donc, on peut dire que seul celui qui parvient à voir l'invisible peut sauver la vie des gens.

– J'ai bien suivi votre raisonnement et le trouve fascinant. Mais j'ai du mal à comprendre ce qui vous incite à croire que moi… si j'ai bien compris… je posséderais cette aptitude… commenta Khalil, amusé par le tour que prenait la discussion.

– Voyez-vous, Zaba…

Un nouveau guérisseur

– Je vous en prie, appelez-moi Khalil !

– Comme vous préférez… Khalil. Au fil du temps, j'ai appris à jauger les gens en regardant leurs yeux. Or j'ai trouvé dans les vôtres ce que je cherchais depuis longtemps !

Le vieillard prit alors un sac en toile de chanvre de couleur sombre, posé à côté de son siège. Il l'ouvrit et en sortit plusieurs sachets de la même étoffe, qu'il aligna sur la table située entre eux.

– J'aimerais vous montrer quelque chose, dit-il.

– Des herbes médicinales… observa le jeune homme.

– Oui, mais lesquelles ?

– Je n'ai pas mes instruments avec moi, mais…

Khalil souleva les sachets face à la lumière, les ouvrit et, du bout de la langue, goûta le contenu de l'un d'eux.

– D'après moi, c'est de l'aconit tue-loup… Est-ce possible ?

Un nouveau guérisseur

Le vieux médecin ne répondit pas directement.

– Chacun de ces sachets contient une préparation, dont je suis le seul à connaître la composition. Chaque mal a son remède, mais pour un même mal, le traitement n'est jamais identique.

– Je saisis parfaitement. La nature suit ses propres règles.

– Ainsi, comme vous pourrez le déduire, la frontière entre médicament et poison est subtile et difficile à établir.

Les yeux de Khalil revinrent au contenu du sachet.

– Vous m'avez fait essayer un poison ?!

– Certains poisons en combattent d'autres. Mais il y a aussi des poudres et des potions capables de triompher des poisons.

– Des potions magiques ?

Le guérisseur des îles opina gravement.

– Mais… la magie… a été vaincue et interdite !

– Bien sûr ! Elle a été bannie des Cinq Royaumes, mais cela ne signifie pas que les très vieilles potions n'ont plus d'effet. Certains lieux et certains objets ont toujours un pouvoir surnaturel. Le labyrinthe de fleurs qui entoure le palais… vous êtes-vous jamais demandé pourquoi seuls certains d'entre nous peuvent le parcourir, alors que les

Un nouveau guérisseur

autres s'y perdent ? J'ai entendu dire que le royaume des Glaces éternelles compte aussi des endroits de ce genre. Écoutez-moi, Khalil : la magie existe toujours ! Rares sont ceux qui le savent et ceux qui peuvent en user avec prudence et discernement. Autrement, elle deviendrait très dangereuse, comme au temps du Vieux Roi.

– Pourquoi me racontez-vous tout cela ?

– Parce que nous ne voulons pas revenir à cette époque ! J'aimerais vous révéler mes secrets, les partager avec un homme de science tel que vous, à même de prendre ma place le jour où la mer me rappellera pour toujours.

– Qu'est-ce que cela signifie concrètement ?

– Je vous offre une longue période de solitude et de privation en échange de la connaissance de tout ce que je puis vous enseigner afin que vous deveniez le nouveau guérisseur du royaume des Coraux !

Khalil Zaba secoua la tête, confus.

– Je… sincèrement… je ne sais que vous répondre. J'étais parti étudier certains phénomènes botaniques et voilà qu'aujourd'hui…

– Eh bien, c'est exactement ce que je vous propose de faire ! l'interrompit le vieil homme avec un sourire.

20
L'île de la Lune

Kaléa parcourut rapidement les couloirs du palais. Après avoir conduit Khalil Zaba auprès du guérisseur, elle comptait se rendre au phare pour demander conseil à Moéa, en qui elle avait une confiance aveugle.

En sortant, elle rencontra, ou plutôt percuta, Purotu.

– Kaléa, enfin je te retrouve ! s'exclama le garçon.

Juste après venait Naéhu, qui suivait son frère pas à pas.

– Désolé, sœurette, je n'ai pas réussi à l'arrêter ! plaida le poète.

– Arrêter qui ?

Purotu semblait en proie à une violente agitation.

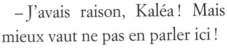

– J'avais raison, Kaléa ! Mais mieux vaut ne pas en parler ici !

Ce disant, il la poussa dans un recoin du palais, et après s'être assuré que personne n'était dans les parages, murmura :

– Khalil Zaba est un menteur !

– Comment ?

– Je suis allé voir tous les pêcheurs, poursuivit le garçon, et je les ai expédiés au large, dans la mer des Passages !

– Tu as envoyé mes pêcheurs là-bas ?! Mais pourquoi donc ?

– Pour recueillir ne serait-ce qu'une preuve de ce qu'il nous a raconté : l'attaque des pirates… le naufrage… expliqua Purotu. Et devine ! Pas la moindre trace de flibustiers ! Pas l'ombre d'une épave et aucun signalement de bateau disparu. Personne n'a vu ou entendu quoi que ce soit de ce genre. Bref, Khalil Zaba ment : rien de tout cela n'est arrivé !

Kaléa dévisagea d'abord l'un de ses frères, puis l'autre.

– Je te l'ai dit, déclara Naéhu en haussant les épaules, je n'ai pas pu le freiner !

– Purotu, pourquoi un tel acharnement ? lança la princesse. Qu'est-ce que Khalil t'a fait ?

– Et toi, pourquoi t'obstines-tu à l'appeler par son prénom ? Ce n'est pas l'un de nos amis ! s'emporta le garçon. Je ne veux pas qu'il vive à Fleur d'oubli avec nous.

– Nous en avons déjà discuté, Purotu ! Ne sois pas aussi impulsif !

– Il m'a agressé ! Et il voulait tuer le Poisson d'or ! Kaléa sourit.

– C'est lui-même qui l'a sauvé et qui a donné l'alerte pour qu'on vienne à ton secours ! Tout le contraire d'une agression !

– J'ai été…

– Je crois que tu exagères, Purotu. Tes craintes sont disproportionnées. Khalil est une personne respectable et tu verras qu'on ne court aucun danger ! s'efforça-t-elle de le rassurer.

– Et les pêcheurs…

– Pas la peine de leur donner de nouveaux ordres ! Tu pourrais attendre un peu avant de te mettre à gouverner mon royaume, tu ne crois pas ? le taquina-t-elle.

– Mais… tenta d'objecter le garçon.

– À présent, va dans ta chambre. Le repos porte conseil, tu verras !

L'île de la Lune

Purotu n'arrivait pas à accepter que sa sœur ne le croie pas. Il fit un rapide demi-tour et disparut dans les profondeurs du palais.

Naéhu et Kaléa demeurèrent l'un à côté de l'autre. La jeune fille soupira.

– Je sais qu'il ne cherche qu'à me protéger et à défendre le royaume, mais parfois il va vraiment trop loin !

– Purotu a la tête dure ! Demande à l'Aquarium du Poisson d'or ! plaisanta son frère.

Kaléa lui adressa un regard affectueux.

– Pourrais-tu essayer de le calmer ? Moi, je dois aller voir Moéa !

– Bien sûr ! Ne t'inquiète pas pour lui, je m'en occupe. Fais tranquillement ce que tu as à faire.

La princesse s'empressa de donner quelques consignes afin qu'on ne s'inquiète pas de son absence, puis se fit déposer par Garcia à un point d'abordage de l'île de la Lune dissimulé dans les rochers.

Elle s'engagea dans un sentier escarpé creusé à même la roche. Des mouettes voltigeaient non loin d'elle. Comme elle aimait l'air de la mer ! Après environ une demi-heure de marche, elle atteignit un lac d'eau douce situé au milieu de l'île. Il était protégé par une couronne de roches basaltiques noires jadis immergée.

L'île de la Lune

Il y a fort longtemps, l'île de la Lune se confondait en effet avec les fonds sous-marins, tandis que Pierre d'algue se trouvait en surface, mais un violent tremblement de terre et l'éruption d'un volcan avaient fait saillir la première et sombrer la seconde.

Au sommet des falaises tournoyait le sempiternel même vent qui, depuis des jours et des jours, soufflait sans répit. Plus fort et mordant par moments, il créait de petits tourbillons d'air salé.

Chassant de son esprit la révélation que lui avait faite Tiaré, Kaléa haussa les épaules.

– Twiit ! l'appela Garcia, tout en bas.

Kaléa le salua d'un grand signe de la main, puis s'élança d'un pas énergique sur le sentier qui menait au phare. Elle avait froid et espérait se réchauffer en marchant. Au bout de quelques minutes, elle parvint à une petite porte rouge, sur laquelle figurait un panneau disant : « FRAPPEZ FORT ! »

21
Moéa

oéa s'apprêtait à déguster une tasse de son infusion d'algues préférée, brûlante à souhait, lorsqu'on frappa à la porte. De mauvais gré, elle abandonna sa boisson fumante sur une petite table en bois et se leva.

Lorsqu'elle se trouva face à Kaléa, ses petits yeux sombres s'éclairèrent.

– Princesse, quelle joie de vous voir ! s'exclama-t-elle. Pauvre enfant, vous devez avoir très froid ! Entrez, je vais vous chercher un plaid pour vous réchauffer !

Dès que Kaléa eut franchi le seuil du logis de Moéa, la chaleur qui y régnait la réconforta. Elle connaissait jusqu'au moindre recoin de cet endroit si insolite.

Moéa

Enfant, elle adorait jouer dans cette petite pièce circulaire, courant entre les hauts et étroits rayonnages de livres et de coquillages qui épousaient la courbure des murs. Moéa lui tendit une épaisse couverture de coton, toute simple mais chaude, et toutes deux s'assirent pour boire son infusion.

– J'en prendrai très volontiers ! dit Kaléa en s'enveloppant dans le plaid.

– Qu'est-ce qui vous amène, princesse ? s'enquit la gardienne du phare.

– Rien de particulier…

– Et vous voudriez que je vous croie ? répondit Moéa,
du ton de celle qui attend toujours sa réponse.

Avalant une autre gorgée de tisane, Kaléa sourit.

– Je suis venue te voir pour prendre de tes nouvelles.

– Je vais bien, merci ! Comme vous le savez, ma prin-
cipale compagne est la mer. Et surtout, je lis, répondit
Moéa en se tournant vers les étagères où s'alignaient ses
lectures.

Kaléa lança un coup d'œil au volumineux ouvrage qui se
trouvait sur la table. : *Catalogue raisonné des plus célèbres
voiliers des glaces. Modèles anciens, récents et futurs.*

– Ça semble intéressant, observa Kaléa en prenant le
livre.

Celui-ci avait une élégante reliure en peau bleu vif avec,
sur la couverture, l'image gaufrée d'un voilier argenté.

– Certes, princesse, il l'est…

– Et aurais-tu par hasard trouvé de nouvelles pièces
pour ta collection d'objets marins ? Les restes d'un
récent naufrage, par exemple ?

– Non, rien de neuf. Heureusement, aucun bateau
n'a sombré ces derniers temps ! Pourquoi me deman-
dez-vous cela ? Y a-t-il quelque chose que je doive
savoir, princesse ?

Moéa

Serrant les lèvres, Kaléa finit par confesser :

– Il s'agit d'un garçon, Moéa.

– De quel genre ?

– Du genre de ceux auxquels on pense sans arrêt… précisa la jeune fille.

– Je comprends.

– C'est vrai ? Tu as déjà été… amoureuse ? demanda Kaléa d'un ton gêné.

– Vous en parlez déjà en ces termes ? répliqua Moéa, passablement stupéfaite de la question de la princesse.

– En fait, je n'en sais rien…

Le bruit d'un battement d'ailes les interrompit net.

– Volatile à tête de pioche ! s'indigna la gardienne du phare.

S'excusant auprès de la princesse, elle se leva et gravit l'escalier en ronchonnant chaque fois qu'elle butait contre une chose qui, selon elle, n'était pas à sa place. Moéa n'était pas ce qu'on peut appeler une fée du logis. Tout le long de l'escalier en colimaçon qui menait au sommet du phare, les murs étaient tapissés d'objets témoignant de sa vie sur les côtes de l'île de la Lune : lambeaux de voile, morceaux de coque de bateau, cordes, filins, poulies… En outre, une ancre était posée au bas des marches et tout un espace s'ornait des meubles de vieux vaisseaux

que les pêcheurs du royaume des Coraux lui rapportaient. Seuls de faibles cônes de lumière pénétraient dans le phare par de minuscules fenêtres.

– C'est bien la dixième, sinon la douzième fois que cette mouette s'introduit ici. Je ferme la fenêtre, mais rien à faire, elle la pousse avec son bec, entre, puis s'agite parce qu'elle n'arrive pas à ressortir !

Tandis que Moéa tentait de convaincre l'oiseau de repartir, la princesse, intriguée, s'approcha des livres, en parcourut les titres et s'arrêta sur l'un d'eux, qui avait immédiatement retenu son attention.

– *Illustre généalogie de la famille royale du Grand Royaume*, lut-elle à haute voix.

Elle sortit l'ouvrage, qui était couvert de poussière, et le tourna entre ses mains. Il était grand, mais pas très épais. Il avait une couverture entièrement noire, avec un titre et une tranche dorés. Le livre semblait important. Kaléa se rassit pour le manipuler plus aisément. Puis elle l'ouvrit au hasard et découvrit une série d'illustrations. De plus en plus intéressée, elle le feuilleta rapidement jusqu'aux dernières pages, où elle trouva un portrait de son père et de sa mère.

Ressentant comme un coup au cœur, elle se revit, toute petite, aux côtés de ses quatre sœurs. Assaillie par une

profonde nostalgie, elle referma l'ouvrage sur-le-champ, comme s'il lui faisait peur. Puis elle le rouvrit et tourna ses pages en sens inverse jusqu'au portrait d'un personnage au regard incisif et cruel. Sur la même page figuraient trois hommes et un enfant. Kaléa lut la longue colonne de noms qui les accompagnait : il s'agissait du Vieux Roi et de ses généraux. Les yeux allongés du souverain, éclairés par une lueur sinistre, lui semblaient étrangement familiers. L'auteur n'avait pas consigné le nom du petit garçon, mais au vu de la position qu'il occupait, il pouvait être le fils du tyran. Quel âge avait-il ? Cinq ans ? Six ans ?

– J'espère bien que cela n'arrivera plus ! claironna Moéa, revenue victorieuse de son expédition. Aujourd'hui, cet oiseau est vraiment fatigant… Mais heureusement il est dehors, à présent !

Kaléa l'observa, amusée.

Moéa

– Je suis désolée de vous avoir laissée seule. De quoi parlions-nous ?

Soudain, elle vit le livre que la jeune fille tenait.

– Ah, bien ! Vous avez trouvé de la lecture. Vous ne vous êtes donc pas ennuyée ?

– Aucunement, Moéa.

Kaléa lui montra le portrait du Vieux Roi.

– Mmmh… quelle sale tête, celui-là ! maugréa la gardienne d'une voix plus grave.

– Je me demandais qui étaient les personnes autour de lui…

– Le Vieux Roi… Le Conseiller éclairé, le Général de Cuivre, le Magicien des Cinq Éléments… et l'Alchimiste gris, murmura-t-elle en les désignant, un à un.

– Et cet enfant ?

Moéa regarda de plus près.

– Ah ! lui, je crois que c'est l'aîné du souverain.

– Le Vieux Roi avait un fils ?

– Il me semble. Mais comme vous le voyez, il était très jeune quand votre père a battu le sien.

– Comment s'appelait-il ?

Moéa secoua la tête.

– Vous m'en demandez trop. Je ne m'en souviens pas. Mais… cette histoire appartient au passé désormais. Ce

royaume n'existe plus, et ces sombres figures ont été vaincues et écartées à jamais.

– Puis-je garder ce livre ? demanda la princesse en le refermant.

– Naturellement ! Il est à vous, comme tous les autres, du reste ! Moi, je ne fais qu'en prendre soin depuis qu'ils m'ont été confiés. Ah, voici de quoi nous parlions : des affaires de cœur ! Vous me demandiez si j'avais jamais été amoureuse.

– En effet !

– Eh bien, oui, une seule fois, confia Moéa.

– C'est vrai ?

Kaléa était surprise car, dans son souvenir, la gardienne n'avait jamais quitté le phare ou l'île de la Lune. Et elle ne recevait pas beaucoup de visites.

– De qui ? s'enquit la princesse.

– Oh, j'étais alors toute jeune, jeune et bête.

– Tu te souviens de lui ?

– Mais comment donc ! Il était grand, fiable… et d'une grande sagesse.

– Ne me faites pas languir ! De qui parlez-vous ?

– D'Haldorr, avoua Moéa avec une expression malicieuse. Vous vous en souvenez ?

– Le bibliothécaire d'Arcandide ?

– Lui-même ! Mais avant d'assurer cette fonction, il était responsable de tout le patrimoine documentaire du royaume. C'est une époque dont ni lui ni moi n'aimons parler. Pour Haldorr, ce fut très difficile voire triste de répartir les livres dans les bibliothèques des Cinq Royaumes. Décider quels volumes laisser et lesquels emporter avec lui.

– Et toi… ?

– Je l'ai aidé, bien sûr ! déclara Moéa. Ce fut une période magnifique, avant qu'il ne s'en aille évidemment.

– Eh oui… soupira Kaléa. Et tu n'as rien fait pour le retenir, n'est-ce pas ?

– Comment l'aurais-je pu ? Je n'étais qu'une gamine…

Moéa scruta le visage de Kaléa, avant d'ajouter :

– Mais, laissez-moi deviner, princesse ! Votre amoureux s'apprête à partir, lui aussi ?

– Peut-être.

Les yeux de la jeune fille avaient une expression si douce et enfantine que la gardienne ne put réprimer un sourire.

– Alors, écoutez-moi bien… dit-elle. Je vais vous raconter mon histoire.

Entre-temps la nuit était tombée. Les deux femmes continuèrent à bavarder à la lueur d'une chandelle, tandis que la lumière du phare éclairait le ciel constellé d'étoiles.

22

Le labyrinthe

Khalil Zaba fouilla dans ses poches et en sortit le sachet de poudre médicinale que le médecin lui avait laissé à la fin de leur rencontre.

«Lorsque vous me donnerez votre réponse, Khalil, sachez aussi me dire si, selon vous, cette préparation est un remède ou un poison», avait conclu le guérisseur du royaume des Coraux.

À l'évidence, cette requête était un test pour vérifier si le jeune homme savait ou non voir au-delà du visible.

Le cœur de Khalil Zaba était partagé. D'une part, la proposition du vieil homme n'était pas à négliger ; d'autre part, il y avait la princesse Kaléa et ce qui semblait naître entre eux. Il voulait lui parler… très ouvertement.

Le labyrinthe

Il entra dans les cuisines et demanda à Émiri :

– Auriez-vous vu la princesse, par hasard ?

Avec une adresse qu'on lui enviait, le cuisinier était en train de disposer un millier de minuscules crevettes en couronne sur des plateaux de fruits de mer frais.

– La princesse, dites-vous ? Non, je ne pense pas l'avoir aperçue… répondit-il distraitement.

Puis, s'adressant à l'un de ses perroquets, il ordonna :

– Plus vite avec cette noix de coco ! Active un peu ton bec !

– Savez-vous qui pourrait me renseigner ?

– Peut-être Tiaré, la fille des fleurs, répliqua Émiri.

Khalil Zaba stationna quelques instants à l'orée du labyrinthe avant de se décider à y entrer. On disait que le Roi sage l'avait fait planter pour empêcher les individus mal intentionnés d'accéder au palais, mais aussi que les personnes connaissant ses secrets pouvaient, en bien des occasions, y trouver efficacement refuge. Depuis qu'il était à Fleur d'oubli, Khalil l'avait traversé en compagnie de Kaléa ou des jumeaux, mais jamais seul…

Quelque peu soucieux, il pénétra dans ses allées régulières et bien entretenues, qu'il examina minutieusement. Les haies qui en délimitaient le tracé étaient

Le labyrinthe

entièrement couvertes de fleurs colorées, dont le parfum intense enivrait le jeune homme à chaque pas. Effleurant leurs corolles, il suivait du bout des doigts les nervures de leurs pétales souples et veloutés et s'émerveillait de tant de beauté. Mais les fleurs lui semblaient se rétracter, comme pour éviter tout nouveau contact.

– Princesse Kaléa ? appela-t-il après quelques tours et détours dans le labyrinthe.

Il marchait depuis un moment déjà, sans savoir exactement depuis quand. Sa jambe commençait à donner des signes de fatigue.

– Princesse ? Princesse Kaléa ? répéta-t-il, plus fort.

Était-il possible que personne ne l'entende ?

Mû par un sentiment de panique croissant, il se mit à presser le pas à la recherche d'une issue. L'air se fit plus dense et difficile à respirer ; l'odeur des fleurs devenait presque insoutenable. Il avança, recula, revint en arrière, cheminant encore et toujours, sans entrevoir de sortie.

À la fin, il dut se rendre à l'évidence : il était perdu. Il se sentit tout d'abord furieux, incapable d'accepter l'idée d'être prisonnier d'un dédale de plantes. Lui qui les avait si longuement étudiées et se vantait d'être un spécialiste ! Puis, conscient du fait que s'il perdait la tête il n'en sortirait jamais plus, il retrouva son calme.

Le labyrinthe

Fatigué, il s'assit par terre un moment pour reposer sa jambe et ramassa quelques cailloux. Pourquoi Kaléa ne l'entendait-elle pas ? Et pourquoi ne parvenait-il pas à trouver le chemin de la sortie ?  Le guérisseur avait raison. Quelle sorte de magie l'empêchait de quitter cet endroit ? Et pourquoi le vieux médecin l'avait-il choisi pour lui succéder ? Certainement avait-il deviné que le surnaturel ne lui était pas totalement inconnu. Mais comment y était-il parvenu ?

Il ressortit le sachet de poudre d'aconit qu'il avait rempoché et en fit tomber quelques grains sur les cailloux qu'il avait dans la main. Enfin, il ferma les yeux et récita une formule secrète.

Soudain, les cailloux tombèrent de sa main et se mirent à rouler les uns sur les autres pour lui montrer la voie.

Les fleurs vibrèrent et les haies semblèrent se courber vers lui. Khalil était à la fois effrayé et ému : cela faisait si longtemps qu'il n'avait plus prononcé ces mots ! Le regard fixé au sol, il suivit la pierraille sans trop y croire, brûlant néanmoins de savoir où elle le conduisait.

Le labyrinthe

Contre toute attente, elle le mena dans une impasse : la haie étant fermée des trois côtés, il ne pouvait plus avancer. Khalil vit alors trois cailloux rouler vers le mur de fleurs et disparaître à l'intérieur. Il y avait apparemment là un passage secret.

Le jeune homme s'approcha de la paroi fleurie et entendit quelque chose comme une voix.

– Princesse ? demanda-t-il.

Il n'y avait personne alentour, mais il capta le son une seconde fois.

Collant l'oreille à la haie, il perçut des voix qui venaient des fleurs. Il recula prestement de quelques pas pour vérifier s'il n'y avait pas quelqu'un de l'autre côté. Personne. Comment diable était-ce possible ?

Il plongea la main dans les fleurs et vit qu'elle s'enfonçait, avec tout son bras, bien au-delà de l'épaisseur de la haie !

– Khalil ?!

Il retira vivement sa main.

– Que faites-vous ici ?

C'était Kaléa.

~*~

Le labyrinthe

Le jeune homme alla à sa rencontre en souriant. Il était content de la voir et se sentait déjà soulagé. Toute la tension de sa mésaventure avec ces mystérieuses voix et autres événements étranges se dissipa en un éclair.

– Je vous ai cherchée dans tout Fleur d'oubli ! Même là où je n'aurais pas dû, princesse !

Et d'ajouter en riant :

– Et je me suis perdu dans le labyrinthe !

– Vraiment ? Vous ne parveniez plus à en sortir ?

Avec quelques mots choisis, il lui raconta ce qui lui était arrivé. Sachant que le dédale de plantes retenait les visiteurs indésirables, Kaléa resta songeuse et en proie à certains doutes. Khalil cachait-il vraiment quelque chose ? Purotu avait-il raison ? Puis, tentée de chasser cette pensée, elle se mit à parler au jeune homme de sa visite au phare, de la mer et de Moéa.

– Ce sont vos orques qui vous y ont emmenée ?

Le visage de Kaléa s'éclaira.

– C'est le seul moyen d'y aller… et puis j'adore la sensation de voler sur les flots quand je chevauche Garcia ! répondit-elle sereinement, ses cheveux brillant au soleil. Puis-je savoir pourquoi vous me cherchiez ?

– À cause de votre guérisseur… répondit Khalil. Étiez-vous informée de sa démarche ?

Le labyrinthe

La jeune fille acquiesça.

– Bien entendu ! Vous oubliez que je suis la princesse de ce royaume.

– Sa proposition est un grand honneur pour moi. J'ai toujours rêvé d'approfondir ma connaissance de la botanique en apprenant tous les secrets des préparations médicinales.

Pour éviter que Khalil ne voie son trouble, Kaléa se tourna alors vers la mer.

– Et qu'avez-vous décidé ? s'enquit-elle.

– Rien pour le moment. Je voulais d'abord en parler avec vous.

– Avec moi ? En quoi puis-je intervenir dans votre choix ?

Khalil se tenait quelques pas derrière elle. Kaléa percevait le souffle de sa respiration. Elle sentait sa présence à côté d'elle. « Avant même d'être une princesse, lui avait dit Moéa, vous êtes une jeune fille. Et à votre âge, il est normal d'avoir envie de tomber amoureuse. »

– Vous m'avez sauvé la vie, princesse. Désormais mon existence est liée à la vôtre.

– Vous pouvez décider ce que vous voulez : partir avec notre guérisseur et vous installer sur son atoll perdu, ou bien…

– Ou bien… répéta-t-il dans son dos.

Il y eut un long, très long moment de silence. Kaléa n'acheva pas sa phrase et Khalil n'insista pas. Pourtant, la princesse aurait pu lui dire : «… ou rester avec moi à Fleur d'oubli et prendre le temps de mieux me connaître».

Quelle que fût la cause de l'hésitation qui les incita, tous les deux, à se taire, le moment de s'exprimer était désormais passé.

Kaléa détacha son regard des flots et le posa sur deux pirogues mouillant à l'embarcadère.

Elle vit Anoï monter à bord de l'une d'elles et gagner rapidement le large.

– Il est temps d'y aller…

Sur ces mots, elle partit en direction de sa chambre.

23
Une promenade en mer

e lendemain matin, Kaléa se réveilla avec l'envie de revoir Khalil. La discussion de la veille au soir avait été si agréable et riche en sous-entendus qu'elle éprouvait le vif besoin de le rencontrer de nouveau.

La jeune fille portait un ensemble en coton léger et soie blanche, qui ressortait sur sa peau bronzée. D'extravagants motifs d'algues le rendaient original et amusant. Les boucles de ses cheveux retombaient librement dans son dos, lui donnant un air romantique et charmant.

Elle aperçut Khalil de loin : il était assis sur la terrasse, l'air grave et absorbé. Ce visage apparemment dur cachait une âme tendre, elle le sentait.

Une promenade en mer

— Que diriez-vous d'une promenade en mer ? proposa-t-elle tout à trac, les yeux brillants. Ces îles ont inspiré des légendes fascinantes.

— Ah, bonjour, princesse ! répondit-il. Je ne vous avais pas entendue arriver. Une sortie ? Pourquoi pas ? Je serais curieux d'entendre de nouvelles histoires sur vous et votre royaume…

Projetant de faire le tour de l'île de la Lune, ils devraient traverser la voie engloutie et passer au-dessus de Pierre d'algue. Tout en écoutant les récits de Kaléa, Khalil ramait avec enthousiasme. La princesse évoquait d'une voix calme son royaume, les fêtes qui s'y succédaient, et comment l'été caniculaire cédait brusquement la place à la triste et interminable saison des pluies. Elle parla même de l'étrange vent d'est qui soufflait, sans toutefois mentionner ce que Tiaré lui avait raconté.

Leur pirogue fendait prestement la surface presque étale de la mer. Caressant leurs visages et leurs corps, une douce brise atténuait la chaleur du soleil, désormais haut dans le ciel sans nuages.

Lorsqu'ils se trouvèrent juste au-dessus de Pierre d'algue, Kaléa se pencha vers le bleu cobalt de la mer et regarda en bas.

Une promenade en mer

– Quand la lumière le permet, on peut distinguer les vestiges de l'ancienne cité…

– Je ne suis jamais venu dans cette zone. Elle doit être magnifique !

– C'est le cas.

Khalil Zaba cala sa pagaie contre le bord de la pirogue.

– Je ferais bien une petite plongée, si vous en êtes d'accord !

– Vous êtes sérieux ?

– Le fait d'avoir fait naufrage dans votre baie ne veut pas dire que je suis un mauvais nageur !

Souriant à peine, la princesse ne répondit pas.

Une promenade en mer

– On y va ? insista Khalil en désignant les flots tout autour d'eux.

Bleus avec des nuances de vert au-dessus des bouquets d'algues, ils étaient fort engageants.

– D'accord, acquiesça-t-elle.

Elle s'immergea avec la grâce d'un oiseau aquatique. Sur le chapitre de la beauté, la princesse des Coraux n'avait décidément rien à envier à ses sœurs.

Quelques secondes plus tard, le jeune homme plongea à son tour. Tous deux nagèrent côte à côte. Kaléa pointa, à travers l'eau limpide, les bancs de poissons et l'immensité abandonnée de Pierre d'algue. Sous eux se déployait la cité engloutie, avec ses palais vides et ses rues silencieuses. De temps à autre, Khalil s'enfonçait pour en examiner une partie de plus près, faisant fuir les créatures sous-marines qui sommeillaient là. Puis, lui et Kaléa remontaient pour respirer et commentaient ce qu'ils avaient vu. Mais ils ne tardaient pas à replonger.

Soudain, l'ombre d'un gigantesque requin apparut dans le dos de la princesse. Absorbée par le spectacle d'une plante qui avait poussé dans la paume d'une statue, Kaléa ne s'aperçut de rien.

Khalil ne perdit pas un instant. Tirant un couteau de sa ceinture, il se mit à nager aussi vite qu'il le pouvait.

Une promenade en mer

La jeune fille n'était pas loin, mais trop fascinée par la statue pour avoir le temps de réagir. Khalil rejoignit l'énorme poisson et le poignarda au flanc, puis il attrapa sa queue et le secoua violemment.

Kaléa se retourna et son visage se couvrit de bulles d'air.

Quand elle comprit ce qui se passait, elle remonta à toute vitesse vers la pirogue.

Loin en dessous d'elle, Khalil et le requin luttaient au corps à corps, la peau de l'un contre les écailles de l'autre.

L'animal finit par battre en retraite et disparut dans les profondeurs marines d'où il avait surgi. Alors le jeune homme refit surface.

– Khalil ! cria la princesse. Vous allez bien ?

– Je crois que oui. Et vous ?

Tous deux remontèrent à bord de l'embarcation.

– Vous avez eu peur ? s'enquit-il.

Sans lui répondre, Kaléa se réfugia dans ses bras. Il la serra sans parler.

– Sans vous... je serais morte ! déclara-t-elle enfin. Je ne sais comment vous remercier.

– Peut-être le requin ne vous aurait-il pas attaquée, mais... cela vaut mieux ainsi.

– Vous êtes extrêmement courageux.

Une promenade en mer

– Vous aussi.

Les yeux encore remplis d'admiration, elle lui adressa un sourire très doux et dit :

– Khalil, ne partez pas…

– Si vous me le demandez, je ne le ferai pas.

– Je ne puis vous le demander.

– Pourquoi cela ? Quels secrets se cachent au fond de votre cœur ?

Elle lui prit la main.

– Il y en a bien plus que ce que vous ne pouvez l'imaginer.

– Avez-vous vu ? demanda-t-il d'un ton enjoué en désignant un insecte qui se promenait au fond de la coque. Notre coléoptère continue à nous suivre, on dirait !

– Vous plaisantez, n'est-ce pas ?

– Non, regardez, il est là ! dit-il en soulevant l'insecte du bout du doigt. Cela veut certaine-ment dire quelque chose…

– … de très singulier.

– Comme l'est ce que nous éprouvons l'un pour l'autre, poursuivit-il en reposant le coléoptère sur le bord du canot. Singulier voire exceptionnel…

– Ne parlez pas ainsi.

– Et vous, ne me tenez pas à l'écart de vos plus intimes pensées…

– Très bien, je vais vous raconter quelque chose, soupira la princesse.

Les yeux de Khalil s'illuminèrent. La brise d'est soulevait des embruns, qui rafraîchissaient leur peau chauffée par les implacables rayons du soleil au zénith. Kaléa regarda au loin, vers les falaises qui se dressaient, imposantes et sombres, au-dessus d'une eau cristalline sur laquelle s'étendait leur ombre.

– Vous voyez ces récifs en face de nous ?

– Ceux à côté du banc de requins ? la taquina-t-il.

Kaléa sourit.

– Les falaises de l'île de la Lune dissimulent l'un de mes secrets. Le plus important de tous.

– Ne me dites rien que vous puissiez regretter de m'avoir confié ! l'avertit le jeune homme.

Mais désormais la princesse ressentait le besoin de parler et de partager avec quelqu'un d'autre ce qu'elle

avait jusqu'alors jalousement gardé pour elle. Quelqu'un à qui elle sentait qu'elle pouvait se fier.

– Vous souvenez-vous quand je vous ai parlé des Cinq Royaumes ?

– Naturellement !

– À chacun d'eux est consacré un couplet du *Chant du sommeil*… Or chaque couplet constitue une partie du secret que recèle ce chant. L'ultime grand sortilège de cette terre, poursuivit la princesse, a été utilisé par mon père pour endormir le Vieux Roi, alors qu'il gouvernait le Grand Royaume, dont le territoire correspondait aux Cinq Royaumes d'aujourd'hui. Chacune de mes sœurs connaît l'un de ces couplets ; chacune de nous est ainsi indissolublement liée au destin de tous les royaumes.

– Et votre couplet est caché dans cette falaise ?

– Au bout de l'unique route qui y mène…

Khalil resta silencieux.

La jeune fille acheva dans un murmure :

– … et qui n'existe pas vraiment.

– Que voulez-vous dire ?

– Qu'elle n'est visible qu'au crépuscule.

Se tournant vers lui, elle conclut avec une pointe de remords :

– Je crains d'avoir trop parlé…

Une promenade en mer

– Nous ferions mieux de rentrer à Fleur d'oubli.

«Stupide rêveuse!» se reprocha-t-elle aussitôt. C'est pourtant ainsi que Moéa lui avait suggéré de se comporter. Elle l'avait incitée à être elle-même, sans rien cacher. Pourquoi perdre confiance en Khalil? Il n'y avait aucune raison…

– Ne partez pas, Khalil…

– Je resterai, répondit-il en la serrant contre lui.

Puis il mit à ramer en direction du palais.

24
Des poèmes sur le sable

e soleil était sur le point de disparaître derrière la ligne violette séparant le ciel de la mer.

Couché sur le sable très fin et encore tiède de la baie Blanche, Naéhu contemplait ce spectacle, chaque jour différent à ses yeux. À côté de lui se trouvait son carnet de poésie, dans lequel il notait les mots que les vagues décidaient de garder. Tous les jours en fin d'après-midi, Naéhu venait en effet tracer des poèmes sur le sable, à la lisière de l'eau, et laissait à la mer le soin d'en effacer une partie durant la nuit. Le lendemain, il transcrivait les vers qui étaient restés et en écrivait de nouveaux. Comme son inspiration lui venait de la mer, il était juste, selon lui, qu'elle choisisse

ceux qui méritaient d'être lus
et transmis.

Il finissait de se livrer à
cette occupation, quand il
aperçut quelqu'un. Le vent
avait soufflé fort au cours
des derniers jours, produi-
sant de hautes dunes. Il
vit poindre derrière l'une
d'elles la silhouette d'un homme qui marchait d'un air
circonspect.

Naéhu se pencha pour essayer de le reconnaître, mais
échoua et se contenta de l'observer de là où il était.
Regardant par terre, l'inconnu ne le remarqua pas. Les
yeux concentrés sur l'onde, il donnait l'impression d'y
chercher quelque chose.

Puis l'inconnu fixa l'horizon et entra dans l'eau, le
nez à nouveau baissé. Quand les vagues lui léchèrent les
genoux, il fit demi-tour. Une fois au sec, il se retourna,
accorda un dernier regard à la mer et donna un coup
de pied dans le sable, soulevant une gerbe de grains qui
retombèrent tout près. L'air furieux, il scruta la plage
afin de s'assurer qu'on ne l'avait pas repéré. Aussitôt,
Naéhu s'aplatit sur le sable et attendit quelques instants.

Des poèmes sur le sable

Quand il releva la tête, l'homme avait disparu dans les dunes.

– Qu'est-il venu faire ici ? se demanda le garçon à haute voix.

Il emboîta le pas à l'inconnu jusqu'au palais. Sans hésiter, ce dernier pénétra dans le labyrinthe de fleurs, comme s'il le connaissait bien. D'un pas assuré, Naéhu s'élança à son tour dans ses allées, qu'il traversa en courant. Soudain, il heurta quelqu'un.

– Attention !

– Monsieur Zaba ! Vous ici ?

Khalil retrouva son équilibre.

– Eh bien, mon garçon, tu as failli me renverser !

– Excusez-moi !

– Cela ne fait rien… Je crains de m'être de nouveau perdu dans ce maudit dédale !

Naéhu était un garçon doux et bienveillant. Il jugeait ou critiquait rarement les gens, mais il avait le sentiment que Khalil mentait. Il n'osa pas lui demander ce qu'il faisait là et s'il revenait de la plage. Gardant ses doutes pour lui, il se contenta de l'accompagner jusqu'à une sortie située derrière le palais. Peut-être Purotu avait-il raison…

Le lendemain, juste avant le crépuscule, Naéhu

retourna à la plage pour y tracer ses poèmes. D'une certaine manière, il avait envie de revoir la mystérieuse silhouette. Et de fait, dès que vint la nuit, l'inconnu reparut sur la plage. Tout comme la veille, il marcha jusqu'à la lisière de l'eau et la longea un long moment, les yeux à terre. Il était équipé d'une lampe à huile qui n'était pas allumée. Secouant la tête, il se dirigea vers les pirogues amarrées au ponton : quel que fût l'objet de sa quête, cette fois encore, il ne sembla pas l'avoir trouvé.

Afin de ne pas se faire remarquer, Naéhu se cacha dans les dunes et, pendant quelques minutes, perdit l'homme de vue. Quand il se remit à épier, il constata qu'une embarcation avait quitté le rivage et gagnait le large.

Naéhu nourrit alors de francs soupçons. « Où va-t-il à cette heure ? » se demanda-t-il.

Il n'y avait qu'un moyen de le découvrir. Se passant pour une fois de son frère, il prendrait les choses en main. Ainsi se précipita-t-il à l'embarcadère.

Il s'aperçut alors que la pirogue manquante était celle de Khalil. Naéhu détacha à toute vitesse une seconde embarcation et la poussa dans la même direction. « C'est bien lui », se dit-il.

La soirée était calme, et pas le moindre souffle de vent

Des poèmes sur le sable

ne ridait la mer. La lune, ronde et claire, trônait dans le ciel couleur améthyste en attendant d'illuminer la nuit. Le cœur battant, Naéhu murmura :

— Allez, je dois le suivre !

25

Au large

L'homme plongeait sa pagaie dans l'eau avec des mouvements précis et réguliers. Il avait déjà passé au peigne fin l'île des Étoiles et exploré tout le littoral de l'île du Soleil.

À présent, il était certain d'être à deux doigts de réussir, grâce au bourdonnement de son insecte nocturne, qui lui rapportait tous les mots prononcés par la princesse pendant son sommeil. Avec ces nouvelles indications sur le couplet, le lieu de sa cachette, la route qui y menait, allait-il enfin trouver ce qu'il cherchait ?

Les fonds sous-marins étaient trop vastes et les grottes de l'île de la Lune trop nombreuses pour qu'il puisse espérer repérer la route secrète par un simple coup de

chance. Une seconde pirogue le suivait de loin. Perdu dans ses pensées, l'inconnu ne s'en aperçut pas, mais s'arrêta de ramer pour reprendre son souffle.

Puis, tel un pêcheur chevronné, il mit le cap sur l'île de la Lune avant de rejoindre la côte sud de l'île du Soleil. Il jeta l'ancre dans un endroit qui lui semblait approprié et se prépara à glisser dans l'eau. Bien que la nuit fût tombée, le clair de lune lui assurait une visibilité parfaite. Mais au fond ce n'était qu'un détail : de jour ou de nuit, il finirait bien par trouver cette maudite route ! Et il plongea.

Naéhu lui aussi cessa de ramer de crainte d'être repéré. Il vit l'inconnu s'enfoncer dans l'eau et, s'attendant à le voir resurgir d'un instant à l'autre, fixa sans bouger l'endroit où il avait disparu. Mais le temps passait et l'homme ne remontait pas. La mer était particulièrement calme et étale, sans une vague pour en troubler la surface. Seul le vent lui dispensait de petites caresses, qui agitaient imperceptiblement l'embarcation.

Alors que Naéhu était sur le point de renoncer à connaître l'identité de l'homme, la tête de celui-ci reparut à la surface telle la carapace d'une drôle de tortue. Que fabriquait-il donc ?

Pour le voir plus distinctement, Naéhu eut la mauvaise

idée de se pencher hors de sa pirogue et, perdant l'équilibre, tomba à l'eau. Le bruit des éclaboussures attira l'attention de l'inconnu. N'étant pas très bon nageur, le jeune poète gesticula pour se maintenir à flot. L'autre le rejoignit et le tira jusqu'à sa propre pirogue. Quand ils l'atteignirent, Naéhu s'était déjà évanoui.

~*~

Bien plus tard, cette nuit-là, Naéhu toussa.

– Où suis-je ? demanda-t-il en se réveillant brusquement.

– Tu es à l'abri, répondit une voix près de lui.

Au large

– Qui es-tu ?

La lumière d'une lampe à huile vacilla dans le noir.

Naéhu identifia des dizaines et des dizaines de stalactites et de stalagmites. «Une grotte !» pensa-t-il. La lumière se rapprocha jusqu'à l'éblouir, l'obligeant à fermer les yeux.

– Cela n'a pas d'importance ! répliqua la voix.

– Que veux-tu ?

Seulement alors, Naéhu s'aperçut qu'il était ligoté.

– J'aimerais que tu écoutes une histoire, mon garçon. Et j'aimerais que si un jour quelqu'un demande à la connaître, tu saches la raconter dans les moindres détails. Penses-tu pouvoir y arriver ?

– Je… je ne comprends pas…

– Réponds à la question que je t'ai posée… ou je te tue !

Terrifié et confus, Naéhu acquiesça.

– Parfait.

La lumière recula. Devant Naéhu s'assit un homme dont il ne distinguait que la silhouette.

– Écoute-moi attentivement. Ce ne sera pas long…

Tandis que l'inconnu attaquait son récit, Naéhu s'habituait à l'obscurité et commençait à discerner les contours de son visage.

Au large

– La magie me permet de prendre l'apparence que je désire, mon jeune ami… expliquait l'homme. Celle qui me plaît le plus… et cela dans un seul but : mettre la main sur les couplets du *Chant du sommeil* !

L'inconnu se tourna alors vers la lumière et Naéhu le reconnut.

– Bientôt, ces vers seront à moi. Et voilà toute l'histoire, cher poète !

– Que comptes-tu faire de moi ?

– Je te garderai ici jusqu'à ce que j'aie fini, puis je te ferai raconter tout cela…

L'ombre s'approcha lentement. Elle chuchota des paroles mystérieuses qui se répandirent dans l'atmosphère, et Naéhu se sentit suffoquer. Il sentit son corps prendre la consistance du sable et chacun de ses muscles durcir progressivement. Quelques secondes plus tard, sa vue se troubla, son esprit s'embruma et il perdit de nouveau connaissance.

SECONDE PARTIE

26
Alerte à Fleur d'oubli

onfiné dans sa chambre plusieurs jours durant, après l'incident de l'Aquarium, Purotu perdait patience. Lui qui était habitué à vivre en plein air, au contact de la mer, tournait dans sa chambre comme un lion en cage. Même si son cœur ne pouvait pardonner à la princesse le parti qu'elle avait pris, il était complètement rétabli et ne désirait plus qu'une chose : reprendre le cours normal de son existence et sortir de Fleur d'oubli.

Ce soir-là encore, il eut du mal à trouver le sommeil. Alors que le palais était déjà plongé dans le silence, il constata un fait très étrange : son frère n'était pas encore allé se coucher.

– Naéhu ! l'appela-t-il.

Alerte à Fleur d'oubli

S'aventurant hors de sa chambre, il le chercha partout, mais en vain. Éclairés par les rayons blafards de la lune, les couloirs déserts du palais revêtaient aux yeux inquiets de Purotu un aspect spectral. À son retour, le lit de Naéhu était toujours intact : le garçon semblait s'être purement et simplement volatilisé ! « Bizarre pour un dormeur aux horaires fixes », pensa-t-il.

L'absence de Naéhu était par trop insolite : d'aussi loin que son frère se souvienne, il rentrait toujours avant qu'il ne fasse nuit noire. Peut-être s'était-il endormi sur la plage.

Plus préoccupé du sort de Naéhu que d'éventuelles réprimandes, Purotu décida d'aller vérifier à la baie Blanche. Muni d'une lampe, il emprunta la sortie située à l'arrière du palais et s'engagea sur le sentier menant à la plage. Il traversa le labyrinthe de fleurs et descendit jusqu'à la mer.

– Naéhu, tu es là, petit frère ?

Mais personne ne répondit. Il marcha jusqu'à l'embarcadère, compta rapidement les pirogues et remarqua qu'il en manquait une. Deux, même ! Qui pouvait les avoir prises ? Et pour aller où ?

Alarmé, Purotu fouilla l'île, mètre par mètre. À la lueur argentée de la lune, le labyrinthe et le palais se

réduisaient à de grandes ombres fantomatiques. Le temps passant, le ciel commença à se teinter de rose : l'aube était proche et Purotu de plus en plus agité. Il fit mille et une hypothèses, dont aucune ne parvint à le calmer. Son frère n'était pas très doué pour naviguer, ni pour nager. Purotu décida de rentrer à toute vitesse à Fleur d'oubli pour donner l'alerte.

– Kaléa ! Kaléa ! À l'aide !

En l'espace de quelques minutes, il réveilla tout le palais : la princesse, Émiri, Khalil Zaba, Anoï et Tiaré. Puis il leur décrivit brièvement la situation.

– Comme cela, il a disparu ? demanda Kaléa, encore à moitié endormie.

– Il n'est nulle part !

– Tu as vérifié sur la plage ?

– Oui, et j'ai remarqué qu'il manquait une pirogue, voire deux…

– Il est peut-être allé sur l'île du Soleil…

– Pour y faire quoi ?

– Et sans en avertir quiconque ? renchérit le cuisinier.

– Peut-être a-t-il un secret, hasarda Khalil.

Purotu le regarda d'un air de défi.

– Ce n'est pas son genre. Moi et mon frère nous disons tout.

Alerte à Fleur d'oubli

– Alors, organisons immédiatement les recherches !
– En quoi puis-je vous aider ? s'enquit Anoï.

Quant à Émiri, il retroussa ses manches d'un air résolu.

– Je vais réveiller Jay Jay : il faut prévenir toutes les autres îles !

– Attendez ! Un instant ! intervint Kaléa. Ce n'est peut-être pas la peine d'ameuter tout le monde dès maintenant…

Khalil Zaba se retourna et partit d'un pas ferme vers sa chambre.

– Tâchons de quadriller tout l'espace… dit-il. Je vais me préparer.

Purotu lui adressa un regard de haine, comme s'il avait la certitude que la disparition de son frère était sa faute.

27

Le capitaine Buhl

Le chaos régnait à Fleur d'oubli. Conformément aux instructions de Kaléa et d'Anoï, un grand nombre de pêcheurs étaient partis à la recherche de Naéhu. Jay Jay et les perroquets d'Émiri eux-mêmes passaient au crible l'île des Étoiles depuis le ciel. Enfin, Garcia et ses orques patrouillaient en mer.

Mais à la mi-journée, toujours rien : le garçon était introuvable !

Soudain, au beau milieu des recherches, retentit la sirène du phare. Tous s'immobilisèrent, comme paralysés par ce hurlement sinistre auquel nul ne s'attendait. La sirène émettait le lugubre signal annonçant l'arrivée d'un bateau. Quelques minutes s'écoulèrent, puis au

sommet du phare flotta un drapeau noir. C'était le pire des pavillons : celui des pirates !

Au petit port, Kaléa et Tiaré contemplèrent le retour des pirogues.

– Le vent se lève, princesse… murmura Tiaré à l'oreille de son amie.

Kaléa n'arrivait pas à y croire : d'abord la disparition de Naéhu et à présent les pirates ! Elle se sentit faiblir.

Un premier pêcheur, genou à terre et chapeau de paille serré dans les mains, rapporta, très agité :

Le capitaine Buhl

– J'ai vu un grand navire noir, princesse ! J'ai peur que ce soit le capitaine Buhl ! En plus, quelqu'un dit avoir aperçu…

– Parle sans crainte !

– … d'étranges créatures !

Kaléa fit un geste vague de la main, comme pour dire : toujours les mêmes histoires… Pas un marin qui ne clamât avoir vu surgir les monstres les plus extravagants et terrifiants. Mais ce qui l'inquiétait davantage était le vaisseau pirate. Debout à côté de Kaléa tel son plus fiable conseiller, Khalil Zaba lui demanda :

– Connaissez-vous ce bateau ?

La jeune fille acquiesça.

– *L'Écaille* du capitaine Buhl croise dans notre mer depuis de nombreuses années !

– Pourrait-il s'agir de celui qui m'a fait naufrager ?

– Peut-être, admit la princesse, même s'il combat rarement en haute mer.

– Et la disparition de Naéhu peut-elle avoir un rapport avec l'arrivée de ces flibustiers ?

Kaléa écarquilla les yeux.

– Je n'ose même pas y penser !

Le ponton fut rapidement envahi par les pêcheurs, qui venaient prendre ou suggérer des consignes.

Le capitaine Buhl

– Il faut envoyer une délégation pour parlementer avec eux, princesse !

– Claquemurons-nous dans nos maisons et attendons qu'ils s'en aillent !

– Attaquons-les : nous sommes bien plus nombreux ! Ce pirate ne peut tout de même pas débarquer sur nos côtes !

– Il n'y a rien à redouter ! assura Kaléa, apaisante comme à l'accoutumée.

– Et votre frère, alors ? Moi, je dis que c'est lui qui l'a enlevé !

La princesse écouta l'avis de chacun, puis déclara :

– Écoutez-moi ! Le capitaine Buhl est dangereux. Nous ignorons encore s'il retient Naéhu, mais il nous faut le découvrir. Je vais faire venir Garcia et ses orques et je constituerai une délégation qui se rendra à bord de son navire !

– Bien dit !

– J'en serai ! s'exclama Anoï, immédiatement volontaire.

– Moi aussi ! ajouta Émiri, qui venait d'arriver, un grand couteau de cuisine à la main.

– Comme je connais plusieurs langues… je pourrais également vous être utile ! fit valoir le guérisseur.

Le capitaine Buhl

– Dans ce cas, je vous confie le commandement de cette mission, guérisseur ! approuva Kaléa.

– Je tiens à y aller aussi ! dit Purotu. Si mon frère est sur ce bateau, je veux le ramener !

Gravement, Kaléa acquiesça encore une fois. Les événements se succédaient à une telle vitesse qu'elle se sentait quelque peu dépassée.

– Et vous, que comptez-vous faire ? demanda le garçon en s'adressant à Khalil Zaba.

– Si vous partez… il faut bien que quelqu'un reste au palais pour protéger la princesse, répondit celui-ci.

Purotu hocha soupçonneusement la tête, mais ainsi en fut-il décidé.

Pénétrant dans l'eau, Kaléa appela les orques royales. Quelques minutes plus tard, elle caressait le museau de Garcia et lui expliquait ses ordres.

Entre-temps, les pirogues avaient pris le large.

– Surtout, fais attention ! Et pas d'initiative irréfléchie ! recommanda-t-elle à Purotu avant qu'il ne quitte la plage.

– Toi aussi, sois prudente, sœurette ! Je te laisse seule avec ce Zaba !

– Je survivrai !

– Ce n'est pas un homme sincère. Je te prie de me croire !

Sur ces mots, il poussa sa pirogue dans l'eau.

28
Le signet

 bord de sa pirogue, Purotu filait à toute allure vers le large. Terrifié à l'idée de perdre la trace de ses compagnons, il ramait frénétiquement.

La petite flotte comprenait six pirogues, avec douze hommes à leur bord. En plus de celle de Purotu, qui naviguait seul, il y avait celle du guérisseur et celle d'Émiri, tous deux accompagnés de deux rameurs. S'y ajoutaient l'embarcation d'Anoï ainsi que deux petits canots, chacun occupé par deux pêcheurs.

Soudain, la pirogue du vainqueur de la pêche au Poisson d'or s'accola à celle de Purotu.

– Veux-tu monter à mon bord, jeune homme ?

– Non, vas-y ! Je vous rejoins !

Le signet

Sans sembler vouloir s'éloigner, l'homme poursuivit.

– Je voulais te dire une chose. Ce n'est peut-être pas important, mais...

– Quoi donc ?

– Attends... Regarde : est-ce que ça peut appartenir à ton frère ? dit-il en tendant un petit objet à Purotu.

Le garçon essaya de le voir, mais à cette distance il n'y parvint guère.

– Qu'est-ce que c'est ?

– Je ne sais pas !

Anoï jeta l'objet dans l'embarcation de Purotu.

Il s'agissait d'un signet avec un hippocampe gravé sur l'une des faces. Il appartenait bien à Naéhu : c'est Purotu lui-même qui le lui avait offert !

– Où l'as-tu trouvé ? s'empressa de demander le garçon.

– Dans l'eau, à l'instant ! répondit Anoï. Le courant le poussait vers le large.

Purotu regarda les autres embarcations fendre les flots en direction de la haute mer.

– Tu en es sûr ?

– Je suis marin : je sais reconnaître les courants...

Le signet

Purotu lui adressa un regard soupçonneux.

Le pêcheur continua :

– Comme le courant l'emmenait vers le large, ton frère a dû le perdre quelque part sur la côte. Il n'est peut-être pas sur le vaisseau pirate, mais à l'opposé…

– Oui, mais où précisément ?

Leurs regards convergèrent vers la falaise sombre de l'île de la Lune.

– Là-bas, d'après toi ? s'enquit le garçon, dubitatif.

– Nous pouvons toujours suivre le courant et…

– Et la délégation ? Les flibustiers ? l'interrompit Purotu.

Anoï fixa les quatre autres pirogues qui s'enfonçaient dans le bleu de la mer des Passages.

– Ils devraient pouvoir se débrouiller sans nous : un pêcheur qui n'est plus de prime jeunesse et un adolescent… Pour affronter les pirates, il faut des hommes vigoureux, dans la force de l'âge !

– Twiit ! Twiit ! intervint alors Garcia en émergeant à quelques brasses d'eux.

– Tu as vu ça ? On dirait qu'il nous a entendus ! Préviens l'orque qu'on repart en arrière ! l'encouragea Anoï.

Partagé, Purotu contempla à nouveau l'île de la Lune.

Le signet

   – Il pourrait s'être réfugié dans une grotte… d'où on ne peut pas l'entendre… songea-t-il à haute voix.

   – Pourquoi pas, mon garçon. Qui sait…

   – Mais on l'a cherché par là, ce matin…

   – Il y a des milliers de grottes dans cette falaise… Si ton frère a échoué dans l'une d'elles, nous pouvons peut-être encore le retrouver. Il n'y a qu'à suivre le courant qui poussait le signet…

   – Le problème, c'est que…

   – Nous n'avons rien à perdre ! fit valoir Anoï.

   Purotu se tut. Il serra de nouveau le signet et déclara :

– Eh bien, d'accord.

– Twiit ! fit l'orque.

– Écoute, Garcia : Anoï et moi… rebroussons chemin. Explique aux autres que nous allons vers la falaise, d'accord ?

Exécutant une ultime pirouette, l'orque royale plongea et ondula sous la surface de l'eau.

Purotu regarda le reste de la flotte disparaître là où le vaisseau pirate avait été repéré. Puis il saisit sa pagaie.

– Eh bien, essayons !

Ramant sur la mer indigo, il changea rapidement de cap, les poumons remplis d'air et le cœur plein d'expectatives.

29

Le soupçon

La princesse Kaléa arpentait nerveusement le patio de la salle du trône en attendant de recevoir des nouvelles. Lorsqu'elle aperçut Khalil, debout sous une arcade de la galerie, elle sursauta.

– Excusez-moi, professeur, je ne vous avais pas vu.

– S'il vous plaît, princesse, appelez-moi Khalil ! Je pense que nous pouvons nous autoriser une plus grande familiarité, désormais. Je me demandais si j'avais eu tort de ne pas partir avec les autres : j'aurais peut-être été plus utile là-bas.

Kaléa était partagée entre l'envie de lui témoigner une plus grande confiance et la peur de trop se laisser aller.

Le soupçon

– Je me suis posé la même question, Khalil. En tant que princesse, j'aurais dû affronter la mer avec eux.

– Quel serait l'intérêt d'un inextricable labyrinthe de fleurs s'il n'y avait plus rien à y protéger ?

– C'est une façon prévenante de me dire que j'ai bien fait de rester ici ?

– Exactement, dit-il.

– Et toi ? demanda-t-elle en abandonnant toute réserve formelle.

Khalil s'approcha.

– Moi quoi ?

Il chercha à la prendre dans ses bras, mais Kaléa s'écarta.

– Que t'arrive-t-il ? s'inquiéta-t-il.

La jeune fille le regarda suspicieusement.

– Qu'as-tu décidé ? s'enquit-elle.

– À quel propos ?

– À propos de l'offre du guérisseur ?

– Je t'ai déjà dit que je n'irais pas…

– À moi, mais pas à lui.

Khalil leva les bras, étonné.

– Et alors ?

– Rien. Je me demande seulement si c'est ce que tu désires vraiment.

Le botaniste sourit.

– Je suis là, tel que tu me vois. Avec toi !

– Je te vois, mais je ne te sens pas.

De nouveau, Khalil Zaba s'approcha et cette fois la princesse le laissa l'enlacer.

– Mais que dis-tu, princesse ?

– Que je me sens seule, et perdue. La disparition de Naéhu… l'arrivée des pirates… et le vent… ce vent qui souffle de l'est…

– Qu'a-t-il à voir avec tout cela ?

Kaléa se libéra de son étreinte.

– Tout ce que tu m'as raconté est-il bien vrai, Khalil ? Ou n'est-ce qu'une invention, comme le prétend mon frère ? Je… je ne sais rien de toi…

– L'essentiel est que je sois auprès de toi !

– Tu apparais ici tout à coup, rescapé d'un naufrage dont il ne subsiste rien ni personne…

– Toute la faute en revient aux pirates ! Vous-mêmes avez fini par les repérer ! Que te faut-il de plus ? répliqua le jeune homme.

– Et immédiatement après ta venue, quelqu'un s'en prend à mon frère Purotu… Naéhu se volatilise et toi, tu te perds dans le labyrinthe ! Et pendant ce temps, moi… moi, je te révèle tous mes secrets… en t'accordant une totale confiance !

– Et tu le regrettes ? demanda-t-il avec un pâle sourire.

– Je ne sais pas ! Je n'en sais rien, Khalil !

Il y eut un long silence entre eux.

– Si je ne suis pas Khalil Zaba… qui suis-je, d'après toi ?

Kaléa secoua la tête violemment.

– Je l'ignore !

– Que penses-tu que je veuille de toi ? lâcha le jeune homme. Ton royaume ? Le couplet secret ? Il est important, n'est-ce pas ? Me voici donc à la recherche d'un couplet secret… qui se trouve au bout d'une route inexistante ! Et où celle-ci se cache-t-elle ? Sur l'île du Soleil ? Sur l'île de la Lune ? Tu veux bien me le dire ?

– Je t'en prie… tais-toi…

Khalil Zaba soutint longuement son regard avant de répondre :

– Kaléa… tant de questions t'assaillent que tu ne te fies même plus à moi !

Des larmes montèrent aux yeux de la princesse, qu'elle ne put retenir. Khalil s'avança et la reprit dans ses bras. Aussitôt réconfortée, Kaléa murmura quelques mots hachés.

– Comment ? fit le jeune homme.

– La route, Khalil… la route secrète… hoqueta-t-elle

entre deux sanglots, elle se trouve sur la côte sud de l'île du Soleil. Sur l'île du Soleil...

Sans cesser de la serrer, Khalil opina de la tête. La jeune fille s'abandonna à son étreinte, mais quand elle voulut se détacher de lui, elle eut l'impression qu'il la retenait.

– Laisse-moi, je t'en prie ! s'écria-t-elle, légèrement effrayée. Je ne peux plus respirer !

– Je connais cette sensation, Kaléa. Je l'ai éprouvée quand j'ai commencé à me noyer... déclara-t-il, les yeux mi-clos.

Elle le dévisagea et vit briller dans son regard comme une lueur sinistre, qui la terrorisa. Son cœur battit à tout rompre. Elle avait déjà vu cette expression quelque part, mais où et quand ?

Puis il lui sembla s'en souvenir : dans le livre de généalogie ! Dans le portrait du Vieux Roi, accompagné de l'enfant qui pouvait être son fils. Si celui-ci avait grandi, il aurait plus ou moins l'âge de Khalil. Les visages de Tiaré et de Purotu lui revinrent à l'esprit et leurs paroles résonnèrent à ses oreilles. «Méfie-toi de lui. Il n'a pas d'odeur!» l'avait prévenue Tiaré.

Kaléa sentit un froid soupçon s'emparer d'elle et son corps se glaça. Elle songea alors au vent d'est, celui qui avait soufflé durant la guerre entre le tyran et son père.

Qui était l'homme à qui elle avait confié tous ses secrets?

– Arrête, Khalil! Laisse-moi partir, je te dis!

– Sinon?

Kaléa décocha un très violent coup pied à la jambe blessée du jeune homme. Celui-ci la lâcha. Tournant les talons, la princesse quitta la pièce en courant.

– Kaléa, attends! Où vas-tu?

30
Le pirate

Le capitaine Buhl fit son apparition au poste de commandement de son vaisseau. C'était un homme moyennement grand mais puissamment charpenté. Il avait des épaules larges et solides et des mains énormes et vigoureuses, capables, disait-on, d'étrangler un boa en quelques secondes.

Mais le plus effrayant était le masque noir qu'il portait constamment. On racontait qu'il avait reçu une méchante blessure au cours d'un combat et que, depuis, les seuls à voir son visage étaient, juste avant leur trépas, les ennemis qu'il tuait de ses mains. Quand il prononçait la phrase « La dernière chose que tu verras sera ma

figure ! », sa malheureuse victime savait qu'elle n'en avait plus pour longtemps.

Regardant autour de lui, le féroce pirate fut agréablement surpris. Même s'il n'y avait pas clairement d'attaque en vue, ses hommes étaient aux postes de combat.

Les quatre pirogues qui demandaient à accoster son navire avaient hissé le drapeau blanc, et leurs occupants se penchaient par-dessus bord comme pour solliciter une audience.

Buhl avait déjà mouillé dans les eaux de ce royaume, mais sans jamais bénéficier d'un tel accueil. Il se rappelait un peuple pacifique, mais ne connaissait pas ceux qui étaient venus parlementer avec lui.

Il les compta rapidement : dix hommes et autant d'orques, qui ondulaient sous la surface de l'eau.

Il avait dû se passer quelque chose, et le capitaine Buhl avait la ferme intention de découvrir quoi. Il ordonna à son équipage de faire monter leurs visiteurs. On leur lança une échelle de corde et bientôt le chef des pirates se trouva face à un robuste cuisinier à queue-de-cheval et à un vieux guérisseur au visage parcheminé.

– Peut-on savoir ce qui vous prend ?! Il s'en est fallu de peu qu'on vous tire dessus ! les tança-t-il.

Le pirate

– Nous sommes venus vous parler... répondit le médecin.

– Faites donc !

– Est-ce vous qui avez enlevé le garçon ?

– Notre poète, ajouta Émiri.

Derrière son masque, le capitaine écarquilla les yeux.

– Quelle histoire de poète me chantez-vous là ?

Il jeta alors un coup d'œil aux orques, qui s'agitaient impétueusement tout autour du bateau. Ses hommes les observaient avec un mélange de fascination et d'inquiétude.

– Vous ne pourriez pas ordonner à ces animaux de s'éloigner ?

– Si vous ne nous touchez pas, ils ne vous feront rien ! déclara le guérisseur. Et pour le garçon, Buhl ? La princesse Kaléa veut savoir si vous le retenez prisonnier ou non !

– Et comment m'y serais-je pris, s'il vous plaît ? gronda le chef des pirates. Ne me dites pas que vous êtes venus jusqu'ici rien que pour me poser cette stupide question ?!?

Son second s'esclaffa, mais Buhl le foudroya du regard.

– De quel garçon parlez-vous ? Non, attendez ! Se

trouvait-il à bord du bateau… le *Vague bleue*, que nous avons croisé il y a une semaine ?

– Un navire battant pavillon du royaume du Désert ? s'enquit le médecin.

– C'est cela ! acquiesça Buhl avec un rire terrifiant. S'il s'agit de l'un de ses passagers, vous allez être déçus ! Dites à votre belle princesse que personne n'a survécu : la coque était si abîmée que le navire a coulé à pic avant même que nous procédions à l'abordage !

– Eh bien, je pense que cette information clôt notre mission… grommela Émiri en regardant le guérisseur.

– Ah oui ? rugit le capitaine. Et vous croyez que je vais vous laisser repartir sans autre prétention ?

– Nous avons un drapeau blanc !

– Et moi je suis un pirate, l'un des plus redoutables !

Sur ces mots, il dégaina son épée en ricanant.

Émiri s'interposa entre lui et le guérisseur.

– Derrière moi, guérisseur !

Juste à cet instant, le matelot en vigie se mit à hurler, du haut de son mât :

– Flotte à bâbord ! Flotte à bâbord !

– Encore ? Qui vient là, cette fois ?

De nombreux pirates jusque-là absorbés par le spectacle des orques passèrent de l'autre côté du pont.

Le pirate

Les pêcheurs restés dans les pirogues échangèrent des regards préoccupés.

– Nom d'un perroquet, que distingues-tu, vigie ? hurla le capitaine, furibond.

– Phoques en vue ! cria la vigie. Phoques en vue !

– Que veux-tu dire ?! tonna Buhl. Il n'y a pas de tels animaux sous ces latitudes !

– Je vous le jure, capitaine Buhl ! On dirait… ou plutôt, ce sont bel et bien des phoques ! Et il y a deux hommes avec eux.

Le pirate

– Par le plus sanguinaire des requins, on aura tout entendu ! s'indigna le flibustier.

Il alla à bâbord pour s'en rendre compte par lui-même.

À travers les fentes étroites de son masque, ses yeux discernèrent une tache obscure venant vers eux.

La vigie avait peut-être raison.

– Tous les hommes aux canons ! commanda-t-il.

L'équipage obéit sans grande conviction : avait-on jamais vu un vaisseau pirate canonner une flottille de phoques !

– Savez-vous ce qui se trame, vous deux ? tempêta le pirate en s'adressant au guérisseur et à Émiri.

On tira deux coups, qui finirent dans l'eau.

Puis les phoques s'offrirent à la vue de tous.

Un individu au teint clair, vêtu d'un lourd manteau, montait l'animal de tête, suivi d'un homme plus âgé, dont le long nez mince était chaussé de lunettes.

– Des humains à cheval sur des phoques, une grande première ! bougonna Buhl en suivant leur arrivée depuis le pont.

Frappé par l'absurdité de la scène, le capitaine fut tout d'abord incapable de réagir. Puis, fixant le gouvernail qui dominait le gaillard d'arrière, il se dit que la meilleure chose était peut-être tout simplement de décamper.

Le pirate

– Second, maître d'équipage ! À la manœuvre ! hurla-t-il. Prêts à virer de bord !

Les nouveaux venus s'arrêtèrent à moins de vingt brasses du navire. L'homme au manteau manifesta la volonté de s'entretenir avec le capitaine.

– Bonjour ! lança-t-il.

Du haut de son bateau, le chef des pirates répondit d'un geste évasif.

L'inconnu continua :

– Je suis le prince du royaume des Glaces éternelles et voici Haldorr, d'Arcandide. Nous naviguons depuis plusieurs jours en direction du royaume des Coraux, afin d'y rencontrer la princesse Kaléa.

– Fort bien, mon cher prince ! Le royaume des Coraux correspond à l'ensemble d'îles que vous pouvez apercevoir au-delà de mon navire. La princesse est certainement quelque part là-bas, en train de vous attendre. Pour ma part, je suis le capitaine Buhl… la terreur des mers ! Sachez encore qu'en toute autre circonstance j'aurais ordonné à mon équipage de vous mettre en pièces et de se débarrasser de ces deux pêcheurs montés à bord de mon vaisseau pour y chercher… un poète disparu ! lança le flibustier.

Résumée par le capitaine, la situation semblait tellement

invraisemblable que ses hommes en éprouvèrent une folle envie de rire, réprimée à grand-peine.

– Pourtant, toute cette affaire commence à m'intéresser ! L'un de vous est guérisseur, c'est cela ? Et l'autre ? s'enquit Buhl.

– Je suis le cuisinier de la cour, répondit Émiri.

– Tandis que vous, jeune homme… qui venez du royaume des Glaces éternelles, disiez-vous, n'êtes rien moins que…

– … son prince ! répondit son interlocuteur.

– Précisément ! ricana de nouveau le capitaine.

Adressant un clin d'œil au maître d'équipage, il ajouta :

– Ça se corse !

Et de conclure d'une voix forte :

– Eh bien, faisons ainsi : cent pièces d'or et vous êtes tous libres d'aller où le cœur vous en dit !

S'empressant d'évaluer la situation, Émiri répliqua :

– J'ai une autre proposition.

– Laquelle ?

– Comme vous n'avez apparemment pas enlevé la personne que nous recherchons, nous n'avons rien contre vous ! Je vois que vos galettes sont toutes dures et moisies ; quant à votre soupe, rien qu'à la sentir, je

Le pirate

la dirais pour le moins rance. Je ne vois nulle part de poisson frais, et si ce baril contient votre meilleure eau, elle n'est plus buvable depuis au moins dix jours ! Laissez-nous partir et nous vous remplirons votre cambuse de noix de coco, de fruits, de crevettes relevées d'une sauce à l'ananas et de poissons-ballons farcis !

– Des poissons-ballons farcis !

– C'est ma spécialité… précisa Émiri avec assurance.

31
La grotte

noï et Purotu arrêtèrent leurs pirogues à quelques brasses de la falaise de l'île de la Lune et plongèrent dans le bleu des flots.

Ils nagèrent, l'un derrière l'autre, dans les eaux sombres qui s'enfonçaient jusque sous le phare. Apparemment sûr de lui, le pêcheur progressait en suivant le contour de la falaise. De temps à autre, il vérifiait un repère sur la paroi rocheuse pour s'assurer de leur position. Purotu, lui, se laissait guider en espérant avoir bien fait de s'en remettre à l'expérience de son compagnon. De toute façon, il n'avait pas le choix. S'aventurer tout seul dans les grottes à la recherche de son frère aurait été de la folie.

La grotte

Soudain, Anoï s'immobi-
lisa et pointa un rocher. Un
bout de tissu était à moitié
coincé dans une crevasse.
Le pêcheur l'attrapa et
le montra à Purotu, qui
écarquilla les yeux. C'était
un morceau d'un vête-

ment de Naéhu! Le garçon hocha la tête pour signifier
qu'ils étaient sur la bonne piste. Tous deux se glissèrent
dans une ouverture entre les écueils. Le passage devint
ensuite plus large. Traversant une forêt d'algues, ils
croisèrent des poissons solitaires, qui les observèrent à
bonne distance, l'air apeuré.

À force d'avancer, ils se trouvèrent presque à court
d'oxygène. Malgré leur entraînement, ils éprouvaient
désormais une intense fatigue. Anoï indiqua un couloir
à droite, qui remontait et dont le haut semblait baigner
dans une lumière diffuse.

Dans un dernier sursaut d'énergie, les deux nageurs
s'y engagèrent. Quelques secondes plus tard, ils refirent
surface au beau milieu d'une petite étendue d'eau
souterraine. Après avoir repris leur souffle, ils regardèrent tout autour d'eux. Ils se trouvaient dans une

grotte plongée dans une pénombre zébrée de rais de lumière provenant des fentes du rocher. Les stalactites et les stalagmites formaient d'énigmatiques colonnes et figures minérales. Le silence régnait, seulement brisé de temps à autre par la chute d'une goutte d'eau poursuivant une œuvre de construction millénaire. L'air était saturé d'humidité, mais heureusement respirable.

Dans la demi-obscurité, les yeux du garçon cherchèrent désespérément un indice de la présence de son frère.

– Naéhu ! Naéhu ! appela-t-il.

Mais seul l'écho lui répondit.

– Il n'est pas ici, intervint Anoï.

– Apparemment pas. Enfin, cherchons bien !

Ils sortirent de l'eau et marchèrent entre les sculptures façonnées par la nature. Leur recherche ne fut pas longue.

Purotu s'arrêta comme pétrifié.

– Il est là ! Je l'ai repéré ! hurla-t-il.

Tous deux coururent d'un pas mal assuré dans le noir. Il avait suffi d'une ombre à Purotu pour reconnaître le profil de son frère. Une mèche de cheveux lisses au-dessus d'un nez mince pointant vers le bas laissait deviner une tête retombant sur une frêle poitrine, comme celles d'une marionnette au repos.

La grotte

Naéhu était en position assise. Ses habits étaient déchirés et ses mains attachées par une longue bande de tissu. Il ne bougeait pas. Purotu plaqua son oreille contre son cœur, mais ne perçut aucun battement.

– Comment va-t-il ? demanda Anoï.

– Il semble… Oh non ! On dirait qu'il est mort ! Son visage est blanc comme la nacre !

Anoï s'approcha, mais le garçon le repoussa.

– Ne viens pas ! dit-il en sanglotant. C'est mon frère, je m'en occupe !

La grotte

Purotu prit le couteau qu'il avait glissé dans sa ceinture et tailla les liens qui entravaient Naéhu. Durs et pâles comme la perle, les poignets du malheureux luisaient. Purotu les massa et les porta à ses lèvres. Des larmes coulaient à flots sur son visage. Ce qu'il avait de plus cher au monde était là, immobile entre ses bras.

– Qui a bien pu lui faire ça ?

Purotu souleva le corps de son frère et repartit en direction de l'eau, suivi, à quelques pas, par Anoï.

Utilisant les lambeaux de tissu qui avaient servi à ligoter son frère, Purotu l'encorda à lui. Puis il s'immergea et se mit à nager. Il reparcourut en sens inverse le boyau creusé dans la roche en veillant à ne pas blesser Naéhu. Livide comme une statue, celui-ci glissait dans son sillage.

Quand Purotu refit surface près de sa pirogue, il se fit aider d'Anoï pour y charger le corps de son frère. Mille et une questions l'assaillaient. Enfin, il pagaya vers Fleur d'oubli, qu'enveloppaient de sombres nuages. Purotu ne s'aperçut pas qu'il était seul à ramener Naéhu, et que sur son embarcation s'était posé un coléoptère cobalt.

32
Un secret violé

Tous les habitants du royaume aimaient le labyrinthe entourant Fleur d'oubli. Ils venaient souvent l'admirer ou le montrer à leurs enfants en leur racontant les innombrables légendes qu'il avait inspirées. Il avait été planté pour empêcher les individus mal intentionnés d'accéder au palais, mais aussi pour que les personnes connaissant ses secrets puissent y trouver refuge si nécessaire.

– Kaléa ! appela Khalil Zaba avant de pénétrer dans ses allées fleuries. Kaléa, ne t'enfuis pas !

Le jeune homme était bouleversé. Furieux, incrédule, blessé. Il n'arrivait pas à comprendre ce qui s'était passé. Ainsi se mit-il à vagabonder sans but, jusqu'au

moment où il rencontra une silhouette blanche et immobile comme une apparition.

– Tiaré… dites-moi où est Kaléa, je vous en prie…

– Non, Zaba, répondit la jardinière. D'une part, parce que je l'ignore, d'autre part, parce que je ne le veux pas !

– Dans ce cas, laisse-moi passer ! rugit-il.

– Si vous continuez, vous vous perdrez de nouveau ! répliqua très calmement la jeune femme. Même si vous utilisez votre système d'orientation secret !

– Que sais-tu de cela ?

– Moi, à vrai dire, fort peu de chose. Mais rien n'échappe au labyrinthe. Il vous connaît et il vous égarera quelle que soit votre stratégie. Inutile de vous obstiner !

Khalil secoua la tête comme pour chasser un affreux pressentiment.

– Ce dédale n'est pas vivant ! Ce ne sont que des plantes ! affirma-t-il.

– En êtes-vous bien sûr ?

– Dis-moi où elle est partie ! Kaléa !!!

– Je suis venue vous aider, Zaba, ajouta encore Tiaré. Venez avec moi et je vous conduirai hors d'ici !

Il hésita.

– Je ne reverrai pas la princesse, c'est cela ?

Un secret violé

Comme Tiaré ne répondait pas, il se remit à crier :

– Kaléa ! Réponds-moi ! Je te trouverai ! J'ai tout le temps du monde ! Kaléa ! Montre-toi ! Parle-moi !

Au cœur le plus secret du labyrinthe, la princesse retenait son souffle. Bouche cousue, elle ne répondait pas et s'efforçait de ne pas faire le moindre bruit. Elle craignait que le simple fait de respirer la trahisse et que les fleurs échouent à la protéger.

La voix et les pas de Khalil résonnèrent encore un bon moment. Puis, plus rien : ni cri ni agitation, seulement les bruits de la mer et du vent. Bercée par ces sons familiers, elle se dit que Khalil ne comptait absolument plus pour elle. Qu'il devienne le nouveau guérisseur ou qu'il reparte dans son royaume, peu lui importait : elle ne voulait plus le voir. Jamais.

Elle avait eu tort de se confier à lui, de lui parler du couplet du *Chant du sommeil* et de l'écrin dans lequel il était conservé. Elle profita de l'attente pour réfléchir à sa propre naïveté. Elle se sentait terriblement idiote de s'être amourachée d'un étranger dont elle ne connaissait que le nom… Et maintenant qu'elle avait révélé l'existence de son bien le plus précieux, il n'était plus en sécurité !

Elle pensa alors à ses sœurs et invoqua silencieusement

ses parents afin que tous les six la protègent. Elle songea enfin à ses deux frères : aux soupçons de Purotu, auxquels elle n'avait pas accordé crédit, et à la disparition de Naéhu.

Tendant à nouveau l'oreille, elle perçut un bruit de pas aussi léger que le bruissement du sable soulevé par le vent.

– Tiaré… chuchota-t-elle quand la jardinière se matérialisa au fond d'une allée.

– Il est parti, princesse ! l'informa son amie.

Kaléa acquiesça.

– De quel côté ?

– Il a pris une pirogue.

– Bien… murmura la princesse. Ou mal… je ne saurais le dire.

Elle se sentait écrasée par les événements des dernières heures. Elle aurait dû gagner la voie engloutie et changer de place l'écrin avec le couplet. Mais pour l'heure le plus important était de retrouver Naéhu et de ramener son royaume à la sérénité. Elle devait donc, avant toute autre chose, attendre le retour de la délégation partie interroger les pirates.

33
Le prince
des Glaces

Le prince des Glaces éternelles avait fait un long trajet pour se rendre au royaume des Coraux, et à présent il était épuisé. Avant de revoir la terre, il avait navigué des jours et des jours sur le dos de phoques voyageurs et dormi sur des radeaux de fortune ; tout cela dans le seul but de prévenir à temps la princesse du danger qu'elle et son couplet couraient. Jamais il ne se serait attendu à devoir affronter une bande de pirates ou à participer à un banquet improvisé.

– Désolé pour votre poète ! avait conclu le capitaine Buhl avant de repartir. Je n'ai capturé personne. Vous savez, je suis un pirate, moi : je pille, je détruis… Et maintenant, laissez-moi en paix !

Le prince des Glaces

Peu après, les orques, les pêcheurs, le prince des Glaces et Haldorr parvinrent au petit port de Fleur d'oubli. Un certain nombre de personnes se trouvait là : des femmes, des enfants, d'anciens loups de mer.

Le prince venu du froid regarda tout autour de lui : ce lieu si lointain et exotique lui inspirait une fascination proche de la peur. Quant à Haldorr, bouleversé de contempler un paysage qu'il pensait ne plus jamais revoir, il prit une grande bouffée d'air et déclara avec nostalgie :

– J'ai toujours adoré l'air tiède et fleuri de cette île !

– Je crois que je pourrais très vite m'y habituer ! répliqua le prince, qui avait toujours vécu au milieu des glaces.

– Messieurs, je vous accompagne auprès de la princesse ? les interrompit Émiri, qui venait de descendre de sa pirogue.

Ils marchèrent pieds nus sur le sable très fin, profitant pleinement de ce contact insolite et doux comme du velours, et virent bientôt poindre, au milieu de la végétation luxuriante, le toit en paille tressée du palais. L'édifice très bas n'était guère imposant, comparé à Arcandide aux pinacles cristallins. Mais paré de couleurs et de parfums que les deux hommes ne connaissaient

qu'en rêve, il se révélait tout aussi admirable et magique. Émiri les escorta le long de l'allée de palmiers jusqu'à un grand portail en bois. Une jeune fille aux cheveux roux était assise sur son seuil ; la tête penchée sur les genoux, elle pleurait.

Dès qu'il la vit, le cuisinier se précipita auprès d'elle.

– Princesse, il s'est passé quelque chose ?

Le prince des Glaces et Haldorr échangèrent un regard étonné : c'était donc elle, la princesse ? Kaléa leva des yeux baignés de larmes et laissa la puissante étreinte du cuisinier l'envelopper.

S'efforçant de retenir ses sanglots, elle parvint à dire :

– Naéhu est mort.

À son tour, Haldorr s'adressa à la jeune fille :

– Princesse Kaléa…

Celle-ci reconnut immédiatement sa voix, qu'elle n'avait plus entendue depuis son enfance. Elle posa sur lui des yeux surpris et, ne sachant s'il fallait croire ou non ce qu'elle voyait, battit plusieurs fois des paupières. Lorsqu'elle comprit qu'il s'agissait bel et bien de l'ancien bibliothécaire du royaume, elle trouva la force de lui parler.

– Oh, Haldorr, c'est vraiment vous ? Je suis si contente que vous soyez là ! s'exclama-t-elle en lui tendant les

bras. Mais comment avez-vous fait pour nous rejoindre ?
D'où venez-vous ? Et qu'est-ce qui vous amène ?

– Nous venons de débarquer, princesse ! répondit
le bibliothécaire en souriant. Oh, comme vous avez
grandi ! Et comme vous êtes devenue belle ! Mais vous
pleurez ?

– C'est un jour terrible pour nous, Haldorr. Nous
avons perdu… mon frère Naéhu !
C'est Purotu, son jumeau, qui l'a
trouvé, expliqua-t-elle.

– S'agit-il du poète que
vous recherchiez sur le
navire du capitaine
Buhl ?

– En effet.

– Que lui est-il
arrivé ? demanda
encore le biblio-
thécaire.

– Nous n'en
savons rien. On
dirait qu'il s'est
transformé en
statue.

Le prince des Glaces

– Je suis navré, princesse… Ce n'est sans doute pas le bon moment, mais j'aimerais vous présenter quelqu'un ! annonça enfin Haldorr en s'écartant.

Le prince des Glaces éternelles, qui se tenait jusque-là derrière le bibliothécaire, fit un pas en avant. Kaléa dévisagea le grand homme blond au teint très clair et se tut.

Ce qui l'impressionnait le plus étaient les yeux du nouveau venu, d'un bleu intense et lumineux, éclairés par une expression fière et profonde.

– Qui êtes-vous ?

– Je suis le prince d'Arcandide, l'époux de votre sœur Nives.

– Le prince ? L'époux ?

Le regard de Kaléa passa de l'un à l'autre comme pour y trouver un appui.

– Pourquoi ne m'a-t-on pas avertie des noces de ma sœur ?

– Il s'est passé beaucoup de choses au royaume des Glaces éternelles, hélas pas toutes aussi réjouissantes.

– Nives va bien, n'est-ce pas ?

– Maintenant oui. Mais… nous avons été attaqués par un ennemi redoutable et sournois.

– Et c'est pour cela que nous sommes venus dès que nous l'avons pu, ajouta Haldorr.

Le prince des Glaces

Kaléa baissa la tête. Elle se sentait faible et épuisée.

– Un ennemi redoutable et sournois, dites-vous ? Sachez que nous aussi sommes menacés, annonça-t-elle à mi-voix. Et d'une manière tout aussi perfide : notre adversaire s'en prend à des adolescents !

Sans un mot de plus, Kaléa les mena dans la salle du trône.

Sur le sol gisait le corps pâle de Naéhu.

– Après l'avoir porté ici… Purotu est tombé dans un sommeil lourd et désespéré, raconta la jeune fille.

Le prince des Glaces effleura la peau du garçon.

– Elle est froide, comme si son corps avait été… pétrifié.

– Un tel phénomène n'est pas naturel ! S'agirait-il d'un enchantement ? hasarda Haldorr.

– C'est la seule explication qui me vienne.

– Qui a pu faire cela ? demanda le bibliothécaire à Kaléa.

– Nous l'ignorons, répliqua-t-elle.

Le prince des Glaces murmura alors :

– Eh bien, nous, peut-être pas…

– Je n'arrive pas encore à accepter ce malheur, déclara Kaléa en secouant la tête en signe de refus. Mais j'ai la nette impression que vous en savez plus long que moi sur toute cette affaire.

34
L'écrin de corail

Le guérisseur se pencha sur le corps de Naéhu et l'examina longuement. Kaléa, Émiri, Purotu, Tiaré et les deux hommes venus du royaume des Glaces éternelles formaient un arc de cercle derrière lui.

– Il est vivant… sans l'être, annonça le médecin à la fin de son examen.

Se redressant lentement en faisant craquer son dos, il ajouta :

– Son cœur ne bat que très faiblement.

– Et pourquoi ne bouge-t-il pas ? s'enquit Purotu.

– Il est comme paralysé, répondit le vieillard.

– Par quelle sorte de prodige ? demanda le cuisinier.

– Rien qui nous soit familier… Plutôt une potion ou un mystérieux sortilège, supputa le guérisseur.

La princesse s'assombrit.

– Ainsi quelqu'un userait de la magie dans mes îles ? De qui peut-il s'agir ? murmura-t-elle.

– Pourquoi pas ce spécialiste des plantes… Khalil Zaba ? suggéra Tiaré. Je l'ai vu utiliser un charme pour s'orienter.

– Zaba ! Je le savais ! s'exclama Purotu. Où est-il ?

– Il a quitté l'île, il y a quelques heures… répliqua sa sœur avant d'ajouter : Et nous ne savons pas où il est allé.

– Vous nous raconterez plus tard qui est ce Khalil, d'accord ? sollicita le prince des Glaces.

Puis, s'adressant au guérisseur, il demanda :

L'écrin de corail

— Guérisseur, ne peut-on rien faire pour ce garçon ? J'ai moi-même été victime d'un sort qui me condamnait à vivre dans un corps qui n'était pas le mien. Et ce sont les larmes de la princesse Nives qui m'ont libéré !

Le médecin secoua la tête.

— Malheureusement, non. Dans son cas, les larmes de princesse n'auraient aucun effet, même si elles constituent un prodigieux remède.

S'ensuivit un silence qui parut interminable.

Après une longue réflexion, le guérisseur déclara :

— Il y a bien une lotion que nous pourrions essayer, mais je n'ai pas l'ingrédient principal avec moi… Et on ne peut pas se le procurer facilement.

— Où se trouve-t-il ?

— Sur mon île, répondit le médecin. À un jour de voyage d'ici.

— Allons immédiatement le chercher ! s'écria Purotu.

On s'empressa de s'organiser : il fallait partir sur-le-champ et naviguer toute la nuit. Tous semblaient d'accord lorsqu'un «Non !» péremptoire interrompit les préparatifs.

Il avait été prononcé par Anoï, qui venait de rentrer à Fleur d'oubli et se dressait derrière eux, les vêtements encore humides.

– C'est moi qui vais y aller avec le guérisseur !

Purotu fixa la princesse, qui lui renvoya son regard.

– Il a raison. Il vaut mieux que tu restes ici avec notre frère.

Naéhu avait le visage détendu. Il semblait simplement endormi, absorbé par des rêves paisibles.

– D'accord… obtempéra le garçon.

Le médecin s'empressa d'embarquer en compagnie du pêcheur.

– Je reviendrai avec l'antidote dans les plus brefs délais, princesse !

– Nous comptons sur vous !

Le vieil homme hocha la tête. Il adressa un rapide regard aux autres et s'éloigna sur les flots.

– Qui est ce savant… Khalil Zaba, dont vous parliez, princesse ? s'enquit le prince des Glaces.

– Une canaille ! répliqua d'un trait Purotu.

Kaléa se retint de le réprimander.

– En fait, nous ne le connaissons pas. Il est apparu ici le jour de la pêche au Poisson d'or et…

– Apparu ? Sans crier gare et sans explication ? réagirent aussitôt les deux visiteurs du Nord.

– Alors, je crains que nous soyons arrivés trop tard…

ajouta le prince. Dès lors, j'ai une autre question à vous poser...

– Parlez ! l'encouragea la princesse. Je n'ai aucun secret pour les personnes présentes.

– Où se trouve le couplet du *Chant du sommeil* ? reprit-il.

Kaléa blêmit : son pire cauchemar devenait réalité...

~*~

Kaléa, Purotu et les deux hommes du royaume des Glaces se mirent immédiatement en route, dans l'espoir d'atteindre l'île du Soleil avant le crépuscule.

Durant le trajet, le prince et Haldorr racontèrent à la jeune fille ce qui s'était passé chez eux. Kaléa les écouta attentivement et se réjouit pour Nives de l'heureuse issue de toute l'affaire.

– Donc le couplet d'Arcandide est en sécurité ? demanda-t-elle à la fin.

– Oui, heureusement. Votre sœur est très courageuse !

Kaléa sourit en repensant aux rares images qui lui restaient de l'époque où elles étaient petites.

– Et vous connaissez son caractère ! Elle ne se fie jamais à personne ! gloussa Haldorr.

– C'est une chance ! s'exclama la jeune fille, encore plongée dans le souvenir d'épisodes de leur enfance. Et notre ennemi a usé de la même technique avec moi !

– Exactement !

– Je suis tombée dans le panneau comme la dernière des naïves !

Purotu ramait frénétiquement. Il savait désormais que Kaléa avait révélé à Khalil Zaba l'endroit où était caché son couplet gravé sur une feuille d'argent.

– Sauf que… remarqua la princesse, la description ne correspond pas. Herbert était un homme grand, blond avec des yeux gris bleu et une peau claire, tandis que Khalil avait… enfin a… les cheveux châtains et le teint olive.

Les pagaies fendaient l'eau telles des lames.

– Nous pensons qu'il est capable de changer de physionomie, répondit le prince des Glaces, et de se déplacer surnaturellement d'un lieu à l'autre.

– Et qui sait quoi encore ! dit Haldorr.

Kaléa opina gravement. Elle songeait à l'air enflammé de Khalil quand il la tenait dans ses bras et la serrait comme dans un étau.

– Pourrait-il être le fils du Vieux Roi ? murmura-t-elle d'une voix faible.

L'écrin de corail

– Le tyran n'avait pas d'enfants, princesse, répliqua Haldorr.

– Vous vous trompez. Un petit garçon est représenté à côté de lui dans un livre illustré qui se trouve au phare.

– Un petit garçon ? médita le prince du royaume des Glaces.

– Je n'en savais rien ! Et je ne l'ai jamais vu avec lui ! rumina Haldorr.

– Et pourtant, il figure à ses côtés, avec le conseiller, les généraux, le magicien et l'alchimiste ! Un enfant de deux, trois ans au plus !

L'écrin de corail

– Serait-il possible qu'il ait grandi après avoir échappé au Grand Sommeil ?

– Certainement, et le voici revenu ! souffla la princesse en plissant les yeux jusqu'à les réduire à deux fentes.

Lorsqu'ils parvinrent à l'île du Soleil, la nuit commençait à tomber. Kaléa ordonna à ses compagnons de rester sur le rivage, pendant qu'elle parcourait la plage. Puis, pieds nus, elle repéra l'endroit où la surface de l'eau se ridait et marcha en direction du large. Progressant au ras des flots, elle sentit sous ses pieds la forme polie des pierres qui pavaient la voie engloutie.

Puis, lentement, elle s'enfonça dans la mer. Juste avant qu'elle ne plonge surgit près d'elle la silhouette noire de Garcia, sa fidèle orque, qui s'immergea avec elle.

Purotu, le prince des Glaces et Haldorr regardèrent en silence le soleil se coucher dans la mer et teinter de rouge l'ensemble du paysage. Au bout d'un temps qui leur parut interminable, la tête de la princesse pointa hors de l'eau. Kaléa se laissa pousser jusqu'à la terre ferme par l'orque royale, tandis que les trois hommes couraient à sa rencontre.

Kaléa leva les yeux vers eux.

– Le couplet n'est plus là. On l'a volé, annonça-t-elle.

35

Le poison

Khalil Zaba ramait frénétiquement, sans la moindre idée de sa destination. La discussion avec Kaléa l'avait profondément blessé. Se dirigeant vers le large, il longea l'île de la Lune jusqu'à entrevoir, au milieu des falaises, un espace où aborder. Le phare se dressait de toute sa hauteur au-dessus de lui. C'est là que vivait Moéa.

Si Kaléa avait changé d'attitude à son égard, c'était peut-être à cause d'elle, soupçonnait Khalil. En effet, depuis que la princesse était allée lui parler, il y avait entre eux comme des non-dits. Et à quoi bon ces secrets inutiles, comme le couplet caché au fond de la mer ? Khalil ne voulait rien en savoir. Il trouvait Kaléa

ravissante, solaire et enjouée. Pour lui qui avait consacré la plus grande partie de sa vie à étudier les plantes et à dévorer des livres, passer du temps avec elle, en toute sérénité, était ce qu'il pouvait rêver de mieux. Le royaume ne l'intéressait pas. Pas plus que la couronne.

Manquant de se fracasser sur les écueils, il eut du mal à amarrer sa pirogue. Une fois sur la terre ferme, il s'engagea dans un sentier qui montait au milieu des rochers, sans cesse de ruminer ses pensées. Peut-être aurait-il dû accepter la proposition du guérisseur et partir approfondir ses recherches avec lui. Il aurait même pu consacrer un livre aux vieux remèdes médicinaux, qu'il aurait présenté à l'Académie du royaume du Désert.

Tandis qu'il gravissait la falaise, il vit quelques embarcations approcher. Il mit sa main en visière pour tenter de savoir de qui il s'agissait, puis poursuivit son chemin.

Dans le reflet de la lumière crépusculaire, le lointain palais de Fleur d'oubli semblait nimbé d'une légère brume blanchâtre. Parvenu au sommet de la falaise, Khalil s'arrêta pour contempler le lac d'eau douce au centre de l'île. Un spectacle fort curieux.

Il s'assit sur un gros bloc de basalte et tenta de mettre de l'ordre dans ses idées. Il se sentait égaré, malheureux et fâché. Enfin, il craignait de regarder la vérité en face :

Le poison

il était en train de tomber amoureux de la princesse…
Pensée qu'il s'empressa de chasser. Khalil Zaba ne
voulait pas reconnaître qu'il était sentimental. Redou-
tant de se laisser emporter par ses émotions, il préférait le fonctionnement paisible et silencieux des plantes
avec leurs pollens, leurs bourgeons, leurs pépins cachés
au cœur des fruits…

Kaléa l'avait maltraité et s'était enfuie comme s'il était
un monstre. Il ne supportait pas l'idée de souffrir à cause
d'elle. La sérénité de Kaléa semblait s'être volatilisée, et
avec elle le rayonnement solaire de son royaume.

Le phare était proche, tout comme la lumière qu'il
projetait inlassablement. S'arrachant au chaos de ses
pensées, Khalil Zaba se leva. Il vit alors un défilé de
torches escalader la falaise en direction du lac. Intrigué,
il attendit. S'agissait-il d'une fête, ou bien Kaléa avait-
elle envoyé des gens le chercher afin de lui présenter des
excuses ?

Sous le faisceau lumineux du phare, les flambeaux
brandis par une dizaine de pêcheurs crépitaient dans
la nuit. Dès qu'elle reconnut Khalil, la petite troupe se
précipita vers lui.

– Khalil ! appela l'un d'eux.

– Que se passe-t-il ? demanda-t-il.

Le poison

Les nouveaux venus n'avaient pas l'air très amical. Les longs couteaux qu'ils portaient à la ceinture et leurs regards menaçants ne promettaient rien de bon.

– Suivez-nous, s'il vous plaît ! continua le pêcheur.

– Ah oui ? Et où cela ?

– La princesse Kaléa a ordonné de vous ramener sur-le-champ à Fleur d'oubli.

– Vous a-t-elle précisé pour quel motif ?

– Elle a dit de vous ramener coûte que coûte.

– Mort ou vif ! renchérit un autre.

Khalil Zaba écarquilla les yeux.

– C'est ce qu'elle a dit ? Donc vous êtes venus me capturer ?

– N'essayez pas de résister, professeur…

Le jeune homme s'esclaffa nerveusement. Les choses allaient apparemment de mal en pis. Ignorant la raison de telles instructions, il ne réussissait pas à imaginer ce qui pourrait lui arriver par la suite. La situation semblait totalement insensée.

Il fouilla dans ses poches en quête d'une certaine chose… et la trouva.

– Mort ou vif, avez-vous dit ?

– Mains en vue, Zaba… et venez avec nous !

Khalil Zaba ressortit très lentement les mains de ses

Le poison

poches. Il serrait dans celle de droite le sachet que lui avait confié le guérisseur. «Poison ou remède?» lui avait demandé celui-ci.

Sur la falaise de l'île de la Lune, le botaniste éclata d'un rire terrible.

– Si c'est ce qu'elle veut… marmonna-t-il entre ses dents. Elle m'aura mort!

Sur ces mots, il avala tout le contenu du sachet.

~*~

– Princesse! appelèrent les rares personnes restées en service au palais. Ils l'ont trouvé!

Kaléa marcha péniblement jusqu'au ponton et vit une procession de torches progresser entre les palmiers de l'allée. Elle reconnut dans le corps que portaient deux pêcheurs la personne de Khalil Zaba. Le prince des Glaces éternelles, Haldorr et Purotu s'empressèrent de la rejoindre.

Le poison

– Il était sur la falaise de l'île de la Lune, princesse… annonça le premier pêcheur.

Kaléa sentit ses larmes monter, et s'efforça de ne pas regarder Khalil quand on le déposa par terre.

– Vous l'avez tué ?

– Non, il n'est pas mort. Il s'est évanoui et ne réagit plus. Il a avalé cette poudre… et presque aussitôt, il a perdu connaissance, expliqua l'homme en remettant à la princesse ce qui restait du sachet du guérisseur.

– Il s'est empoisonné ?! s'exclama Kaléa.

– Avez-vous trouvé quelque chose sur lui ? s'enquit le prince des Glaces. Une boîte, des armes… d'autres… substances comme celle-ci ?

– Pourquoi a-t-il fait cela ? demanda la jeune fille en secouant la tête.

– Je n'en ai pas la moindre idée, princesse. Je ne comprends vraiment pas, répondit le prince des Glaces. Mais si nous voulons savoir où il a caché le couplet, il faut le réveiller !

Kaléa acquiesça.

– Portez-le à l'intérieur ! commanda-t-elle. Purotu… conduis-les à la chambre du professeur !

Progressivement, les pêcheurs se dispersèrent, laissant leur souveraine à sa conversation avec Haldorr et

Le poison

le prince des Glaces. Tous trois étaient épuisés ; le vieux bibliothécaire en particulier semblait prêt à s'écrouler d'un moment à l'autre.

– Que faisons-nous, prince ? Avez-vous une suggestion ?

– Aucune, sinon d'attendre le retour du médecin, répondit-il. Lui seul pourra nous renseigner sur le contenu du sachet.

~*~

Ils attendirent toute la journée du lendemain.

Le corps de Naéhu, que Purotu ne cessait de laver et de couvrir de fleurs parfumées, devint encore plus livide et raide. Quant à Khalil, il délirait et tremblait dans sa chambre, en proie à une fièvre incontrôlable.

Kaléa passa toute la journée sur la plage, au contact de l'air et de la mer, dans l'espoir d'y puiser la volonté de réagir. Elle désirait de tout son cœur retrouver son envie de vivre pour ramener la joie dans son très cher royaume.

Le guérisseur ne revint ni ce jour-là ni le suivant.

Bien que tourmentée par une série de questions sans réponses, Kaléa mobilisa toute la force qu'elle avait en elle. Sans perdre de vue le visage de statue de Naéhu,

Le poison

elle s'efforça de rassurer Purotu et, finalement, décida même de se rendre au chevet de Khalil Zaba. Tiaré le veillait en changeant continuellement les compresses rafraîchissant son front.

— Et maintenant, sens-tu son odeur? s'enquit Kaléa en s'arrêtant sur le pas de la porte.

— C'est l'odeur de la maladie, princesse, répondit son amie.

— Il a introduit le mal dans ce royaume, voilà pourquoi il se perdait dans le labyrinthe! J'aurais dû le chasser sur-le-champ! se reprocha Kaléa.

— Tu ne pouvais être sûre de rien. Le labyrinthe détecte et retient entre ses haies même ceux qui ne possèdent que des rudiments de magie! Peut-être Khalil connaît-il cet art et ne s'était-il pas vraiment égaré. Cela expliquerait que notre guérisseur l'ait choisi comme successeur, raisonna Tiaré.

— Enfin, toi-même, tu m'as dit un jour que Khalil ne sentait rien! objecta Kaléa.

La jardinière la fixa avec surprise.

— Moi, princesse?

Le poison

– Dans le jardin, tu ne t'en souviens pas ? Tu me parlais du vent et des odeurs que tu perçois. Puis tu m'as confié que Khalil… n'en dégageait aucune.

– En fait, je t'ai raconté qu'en m'approchant d'Anoï et du professeur Zaba je m'étais aperçue que l'un des deux n'en avait pas. Mais sans savoir lequel. C'est ce que je te disais quand… nous avons été interrompues par l'arrivée du médecin… tu te rappelles ?

Dévisageant tour à tour Tiaré et Khalil, qui divaguait dans son lit, Kaléa eut un terrible doute. Lorsque Tiaré avait évoqué cette absence d'odeur, la princesse avait immédiatement cru qu'elle parlait de Khalil. De fait, depuis qu'elle le connaissait, chacune de ses pensées allait vers lui. Il lui fallut admettre qu'elle s'était trompée…

Anoï. Une image remonta inopinément à l'esprit de Kaléa. Elle repensa à la nuit des Mille Lumières, quand elle avait fait l'éloge du vainqueur de la pêche au Poisson d'or. Que lui avaient rapporté les autres pêcheurs ? Qu'ils ne le connaissaient pas, qu'ils ne l'avaient même jamais rencontré. Anoï prétendait vivre seul sur une île lointaine.

– Quelque chose ne va pas, princesse ?

Prise dans le tourbillon de ses pensées, Kaléa sortit de la pièce.

Le poison

Était-il possible qu'au lieu de Khalil Zaba ce fût Anoï qui ait comploté contre elle ? L'homme qui, fêté puis oublié de tous, vivait avec eux au palais royal ?

– Purotu ! cria-t-elle. Purotu ! Haldorr ! Prince des Glaces ! Vite, le guérisseur est en danger !

36
L'atoll
du guérisseur

« **Q**uel vieil idiot ! pensa Anoï en débarquant sur le petit atoll du guérisseur en compagnie de celui-ci. Avec tout son savoir, il pourrait habiter dans un palais doré. Et à la place, il a choisi cette misérable cabane ! »

Il s'avança sur la plage, les bras endoloris d'avoir tant ramé, mais aussi d'avoir longuement nagé juste avant d'entamer cette expédition.

Après avoir laissé Purotu avec le corps de son frère, il était remonté à bord de sa pirogue, où avait fini par se poser le coléoptère cobalt.

Il l'avait alors pris entre ses doigts et approché de son oreille.

L'atoll du guérisseur

– As-tu appris quelque chose de neuf, insecte des songes ? lui avait-il demandé.

En faisant vibrer ses ailes, celui-ci lui avait rapporté la conversation épiée dans la salle du trône entre la princesse et Khalil, au cours de laquelle cette dernière avait révélé au jeune homme... l'emplacement de la voie engloutie.

Anoï avait ricané en pensant au botaniste, sur lequel porteraient tous les soupçons. Les tromper avait été un jeu d'enfant. En envoyant son coléoptère écouter chacune des confidences de la princesse à son amoureux, tout en attisant la méfiance à l'égard de celui-ci, le prétendu pêcheur avait pu, durant toutes ces journées, agir à sa guise.

C'était Anoï et non Khalil qui avait agressé Purotu dans la salle de l'Aquarium. Et lui également qui avait passé tout son temps libre à chercher l'endroit où Kaléa avait caché son couplet.

Ces derniers jours, il avait ramé jusqu'à l'île du Soleil et exploré inlassablement les fonds sous-marins. Et voilà qu'enfin il avait pu repérer la trace de la voie engloutie ! Il l'avait suivie jusqu'à la falaise de l'île de la Lune et, juste à l'endroit où il s'y attendait, décelé une ouverture dans la roche. Il avait alors extrait de la crevasse

L'atoll du guérisseur

l'écrin de corail contenant la fine feuille d'argent sur laquelle était gravé le couplet du *Chant du sommeil.*

Anoï passa les paumes sur la tunique qui lui couvrait les flancs et le sentit. C'était une boîte qui tenait dans la main.

Le médecin le conduisit jusqu'à sa maison, qui se trouvait en plein centre de l'île. L'intérieur regorgeait de fioles et de petits pots contenant toutes sortes de liquides et de poudres. Ces substances peuplaient étagères et petites tables, en somme le moindre espace libre.

Il y avait aussi les incontournables mâchoires de grand requin et autres plumes d'oiseau décolorées par le soleil, masques sculptés ou encore ongles et os d'animaux.

– Mon laboratoire vous plaît ? s'enquit le guérisseur en fouillant dans ses affaires.

– Plus que vous ne pourriez l'imaginer !

– C'est mon royaume… un royaume sans héritier. Il est petit, mais incroyablement intéressant.

– Je ne vois pas de lit, ou tout au moins de couche, observa Anoï.

– Je dors dehors, sous les étoiles.

– Parfait ! Et pour manger ?

– J'ai construit un vivier sur la côte nord de l'atoll. Allez donc voir s'il reste du poisson !

Il ne fallut pas longtemps pour faire rôtir le poisson sur des braises.

Dans l'intervalle, le médecin fourragea parmi ses préparations, écartant au fur et à mesure certaines herbes médicinales ou plantes vénéneuses.

Il manipula des extraits d'espèces rares et des panacées dont la composition s'était perdue au fil du temps.

Marquant une brève pause, il confia :

– L'efficacité de ma médecine ne fait plus l'unanimité… car elle nécessite une communion étroite entre le thérapeute et le patient. Je n'administre pas le traitement, j'indique la voie de la guérison. C'est ensuite au malade de se lever pour la suivre.

Anoï eut un sourire goguenard.

– C'est donc le patient qui se soigne !

– Ou se détruit, répliqua le guérisseur.

– Vous m'en voyez convaincu, répondit son visiteur.

Tout en bavardant, Anoï se demandait s'il n'y aurait pas lieu de modifier une partie de son plan. Cette petite île lui offrait de nouvelles opportunités. Mais combien de temps lui restait-il avant que ceux de Fleur d'oubli se lancent à sa recherche ? Et s'ils ne le faisaient pas ?

L'atoll du guérisseur

Il écarta cette éventualité avec un sourire mauvais. Parmi eux se trouvait le prince des Glaces, qui suivait toujours la bonne piste.

La cabane du vieux guérisseur contenait des substances extraordinaires, mais il aurait fallu des mois voire des années pour apprendre à les utiliser. Et Anoï ne disposait pas d'un temps pareil. Il devait s'empresser de gagner les autres royaumes avant que leurs princesses n'aient vent de son existence. Mais tous ces poisons et autres produits interdits le tentaient.

– Quand avez-vous appris à préparer et à utiliser vos remèdes ? demanda-t-il.

– Vous êtes bien curieux pour un simple pêcheur !

– Vous n'êtes pas obligé de me répondre, si ne voulez pas.

– Ma famille n'était pas riche et j'étais le dernier de sept enfants. Quand mon prédécesseur m'a choisi pour me transmettre ses connaissances, mes parents ont accueilli mon départ à la fois avec tristesse et soulagement, car cela les dispensait de s'occuper de moi.

– Je comprends, murmura Anoï, assombri. Avez-vous trouvé l'ingrédient que vous cherchiez pour préparer la lotion ?

Le médecin acquiesça.

L'atoll du guérisseur

– Oui, nous pourrons rentrer dès demain. Je me sens trop fatigué pour repartir maintenant.

Tous deux se turent et contemplèrent la voûte céleste.

– Comment se fait-il que vous n'ayez pas de nom ? s'enquit le pêcheur au bout d'un long moment.

– Les gens tels que nous doivent se plier à certaines règles. Comme elles sont très anciennes, elles sont devenues en partie incompréhensibles. Or la tradition veut que le guérisseur des îles n'ait pas de nom à lui.

Anoï eut soudain l'impression de bouillir intérieurement. Il sentit comme une vague de rage monter jusqu'à ses yeux, sa bouche et ses mains, serrées sous sa nuque. Une colère volcanique impossible à contrôler.

L'atoll du guérisseur

– Ainsi avez-vous abandonné votre nom ! lâcha-t-il.

– En effet.

Dans la nuit étoilée qui enveloppait l'atoll, Anoï éclata d'un rire tonitruant. Il lança une poignée de sable sur le feu et fit de nouveau résonner son rire puissant et faux.

Le guérisseur le dévisageait d'un air interrogatif.

– Que vous arrive-t-il ?

– Voulez-vous savoir quelque chose ?

– Si vous pensez que c'est important…

– Mon nom n'est pas Anoï, et je ne suis pas pêcheur. Je pense savoir mieux que vous ce que signifie le fait de vivre sans nom. Moi, je n'ai pas renoncé qu'à cela, mais à tout ! Je suis le fils du Vieux Roi désormais endormi, et j'ai grandi sans nom et sans logis ! rugit-il.

Ses yeux émettaient de sinistres lueurs, et, dans ce tourbillon de lumière, leur couleur ne cessait de changer.

Le médecin se leva prestement et recula.

– Vous me faites peur.

– Veux-tu connaître mon vrai nom ?

L'homme s'approcha du vieillard et se pencha jusqu'à lui souffler au visage.

– Eh bien, je ne le connais pas ! révéla-t-il d'une voix tranchante comme la glace. Personne ne me l'a jamais dit. Depuis que je suis enfant, mon père dort, prisonnier

L'atoll du guérisseur

d'un sommeil magique, au cœur d'un château errant, nimbé de brouillard. N'ayant jamais connu mon vrai nom, je ne peux même pas le perdre !

Le Prince sans Nom recula et se retourna brusquement comme pour chercher quelque chose.

Il vit un long bâton posé par terre non loin des braises, l'empoigna et, avec une expression perfide, le dressa face au guérisseur.

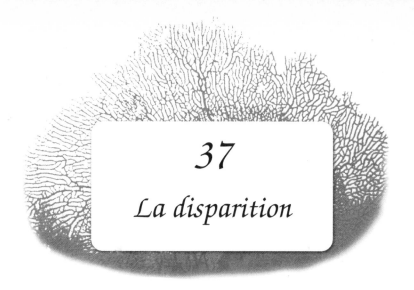

37

La disparition

Sans perdre un instant, le prince des Glaces,
Kaléa, Purotu et Haldorr se mirent en route.
De nombreux pêcheurs proposèrent de ramer,
à tour de rôle, sur les pirogues pour leur permettre
d'atteindre plus vite l'atoll sur lequel vivait le guérisseur.
Achevant de naviguer sur une mer calme et cristalline
surmontée d'un ciel rose pâle, ils l'atteignirent à l'aube.

L'île était si petite qu'on pouvait la parcourir en une
dizaine de minutes. C'était un véritable atoll, constitué
d'une ceinture de récifs coralliens qui, année après
année, s'était développée au ras de l'eau et couverte de
sable. Il y poussait de rares palmiers, au tronc incliné
par le vent.

La disparition

Ils débarquèrent en silence, armes au poing.

La princesse marchait au milieu des hommes. Ne sachant à quoi s'attendre, elle n'était pas tranquille.

Au bout de quelques minutes, ils parvinrent à une cabane. Sur la plage voisine, des braises finissaient de refroidir. Le petit groupe s'arrêta à une dizaine de pas et tendit l'oreille. Pas un bruit, sinon celui de la mer.

Le prince avança seul vers la maison, écarta la tenture qui tenait lieu de porte et regarda à l'intérieur. Puis, sans mot dire, il se tourna vers Kaléa et Haldorr et leur fit signe.

– Où sont-ils passés ? demanda la princesse. L'aurait-il déjà tué ?

– Cette fripouille a tout volé, s'indigna Haldorr en examinant les étagères et les petites tables débarrassées de leurs fioles.

– Et gageons qu'il n'en fera pas bon usage ! commenta le prince des Glaces.

– C'est une perte considérable ! gémit Kaléa. La disparition d'un patrimoine de connaissances inestimable : le guérisseur n'avait pas de successeur !

– Tout est fichu… murmura Haldorr en contemplant ce qui restait de la cabane mise à sac.

– Qui sait, nuança Purotu.

La disparition

Le prince des Glaces ressortit. Il arpenta l'atoll, les yeux braqués par terre. Soudain, il fit une découverte qui ne le surprit pas : juste derrière la maison, un cercle était tracé sur le sable. On distinguait deux empreintes de pied à l'intérieur, mais pas la moindre trace du médecin.

Le prince d'Arcandide connaissait bien cette figure : il avait découvert la même dans la caverne de Calengol, le complice de leur méprisable ennemi au royaume des Glaces ! Désormais, c'était une certitude : l'homme qui avait dérobé le couplet de Kaléa était le même que celui qui avait tenté de se débarrasser de Nives pour s'emparer d'Arcandide.

– Il est parti et a emmené le guérisseur avec lui, annonça finalement le prince.

– Où ont-ils pu aller ? s'enquit Kaléa.

– Dans un autre royaume…

Puis, scrutant la mer infinie, il dit à mi-voix :

– Où te caches-tu à présent ?

Entre-temps, dans la cabane, Haldorr cherchait encore une trace du médecin.

– Venez voir ! J'ai découvert quelque chose ! s'exclama-t-il soudain, requérant l'attention des trois autres.

La princesse le fixa, tout étonnée.

La disparition

– Quoi donc ?

– Je ne sais pas encore. C'est là-dessous… Aidez-moi…

Kaléa et Purotu se penchèrent et poussèrent un petit meuble. Haldorr s'agenouilla et frappa le sol de ses doigts repliés.

– J'ai marché là… et le sol a résonné étrangement…

Purotu perçut lui aussi un son différent à cet endroit.

– Vous avez peut-être raison…

Il se mit à creuser précautionneusement avec ses mains.

– C'est juste là ! confirma-t-il en souriant. J'ignore ce dont il s'agit, mais c'est là…

Kaléa s'agenouilla à côté d'eux.

– Je vais t'aider !

Mêlant sable et terre battue, la couche superficielle du sol était compacte et solide. Ils la traversèrent toutefois sans grande difficulté, puis butèrent contre une surface dure. Persévérant dans leurs efforts, ils finirent par extraire un coffret en nacre.

– Qu'est-ce que c'est ?

– Aucune idée ! répliqua Purotu. Ouvrons-le !

La boîte contenait un livre, dont les pages étaient couvertes d'une calligraphie inconnue.

– C'est écrit dans une langue très ancienne, qui nous

La disparition

vient de nos ancêtres ! murmura Haldorr en lorgnant par-dessus l'épaule de la princesse.

– Savez-vous la lire ? s'enquit Kaléa.

– Non sans peine. Mais je devrais réussir à la déchiffrer.

Le vieux bibliothécaire chassa les grains de sable qui s'étaient glissés entre les pages et l'examina.

– Que dit-il ?

– C'est le *Livre de l'Invisible…* les informa Haldorr. *Remèdes contre les maladies* : il s'agit d'un ouvrage de médecine.

Il se mit à le feuilleter.

La disparition

– *Ce qui se voit et ce qui ne se voit pas…*

– Ne contiendrait-il pas par hasard un passage sur la paralysie… quand le corps prend la consistance de la nacre, comme dans le cas de Naéhu ?

Chaque fois qu'il tournait une page, Haldorr la parcourait lentement, très lentement de l'index.

– Pétrification. Salinisation. Ma foi, peut-être.

– Qu'attendez-vous pour nous dire ce qui est marqué !

– Le cœur qui bat très faiblement… le corps rigide et froid… continuait à lire Haldorr.

– Quel est le traitement ?

– La peau durcit en prenant la couleur de la perle. Il n'existe aucun remède…

Kaléa et Purotu se pétrirent la main.

– … à part la lotion de perle, dont il faut enduire tout le corps…

– C'est l'antidote dont le guérisseur avait parlé ! s'écria Kaléa. L'ingrédient qu'il cherchait doit être quelque part ici !

Purotu passa en revue tous les récipients qui avaient survécu au saccage.

– Comment s'y retrouver dans ce chaos ?

La princesse et Haldorr fouillèrent, eux aussi.

La disparition

Soudain, Kaléa poussa un cri. Elle brandit un flacon cylindrique de la taille d'une salière.

– Je le tiens ! claironna-t-elle. Poudre de perle !

Elle le montra à Haldorr, qui vérifia dans le livre et hocha la tête.

– Ce pourrait bien être cela, princesse !

Tandis que Purotu se dirigeait vers la sortie, Kaléa s'attarda à l'intérieur.

– Haldorr ?

– Qu'y a-t-il, princesse ?

– N'y aurait-il pas aussi, dans ce livre… un remède contre les empoisonnements ? murmura-t-elle.

38

L'antidote

on loin de l'endroit où ils avaient posé le livre, ils découvrirent une fiole contenant une substance étrange à l'odeur âcre, recommandée contre tous les types d'empoisonnement.

Si Khalil n'avait pas absorbé trop d'aconit, il était peut-être encore vivant à cette heure.

– Vite, à Fleur d'oubli ! cria la princesse, ragaillardie par ce nouvel espoir et par la joie de pouvoir enfin retrouver celui qu'elle aimait.

Comme le temps était compté, ils regagnèrent au plus vite l'île des Étoiles. Dès que les pirogues touchèrent terre, Kaléa et son frère bondirent sur le sable et coururent jusqu'au palais.

L'antidote

— Allez-y ! Ne m'attendez pas, dépêchez-vous ! haletait Haldorr derrière eux.

Lorsqu'ils arrivèrent, Naéhu était toujours allongé dans la salle du trône, veillé par les lézards domestiques. Jay Jay était, quant à lui, perché sur le rebord de la fenêtre.

Émiri les accueillit avec enthousiasme et soulagement. Kaléa apprit alors pour sa plus grande joie que Khalil était toujours en vie.

Sur une table proche, elle remarqua des assiettes de nourriture que l'on n'avait pas touchée. Personne n'avait eu grand appétit au cours des derniers jours, car, en lieu et place de la princesse, c'était la tension qui avait régné à Fleur d'oubli. De larges cernes marquaient ainsi les yeux habituellement souriants du cuisinier, dont le visage était anormalement pâle.

— Naéhu n'est peut-être pas perdu ! annonça Kaléa en montrant à Émiri le flacon qu'elle tenait à la main.

— Que veux-tu dire ?

— Nous revenons de la cabane du guérisseur, où nous avons trouvé cet antidote. S'il est encore temps, nous allons tenter…

— De quoi avez-vous besoin ? l'interrompit-il.

— D'eau chaude.

L'antidote

Émiri hocha la tête et fila dans ses cuisines.

Kaléa s'apprêtait à verser la poudre dans la cruche qu'il avait rapportée, quand elle suspendit son geste.

– Une minute ! Pas celle-ci ! fit-elle en secouant la tête.

Se précipitant dans la salle de l'Aquarium, elle préleva de l'eau médicinale et y dilua l'antidote. L'eau se teinta aussitôt de rouge.

– Je m'en remets à toi, Poisson d'or de nos mers, et à ta sagesse, guérisseur de nos îles !

Purotu et elle frictionnèrent le corps de leur frère avec la lotion, puis placèrent un coussin sous sa tête. Ils attendirent quelques instants, mais rien ne se passa. D'autres interminables minutes s'écoulèrent, quand soudain Naéhu bougea imperceptiblement les doigts d'une main.

– Tu as vu ? dit Kaléa.

– Oui, peut-être bien que… cela fonctionne ! Vraiment !

L'antidote

Peu après, le garçon ouvrit les yeux.

– Où suis-je ? murmura-t-il avec un filet de voix. Je me sens terriblement fatigué.

– Tu es chez toi ! s'exclama Purotu, transporté de bonheur.

Il le prit dans ses bras et le serra très fort. Kaléa étreignit ses deux frères en pleurant, mais de joie cette fois.

Ne se rappelant pas ce qui lui était arrivé, Naéhu tentait de contenir leurs étonnantes effusions. Les perroquets voltigeaient comme des fous à travers la pièce, tandis que le cuisinier, euphorique, donnait l'accolade à tous ceux qui passaient à sa portée.

Enfin Kaléa se redressa et rappela à Purotu :

– Nous n'avons pas fini.

Son frère l'approuva et, après avoir salué Naéhu, alla lui-même remplir un broc d'eau du Poisson d'or. Lorsqu'il l'eut rapporté, il dit à Kaléa :

– Vas-y seule, petite sœur !

Khalil Zaba dormait dans sa chambre. Malgré les fenêtres ouvertes, l'air était dense et lourd. Le front du jeune homme, toujours dévoré par la fièvre, demeurait brûlant. Il délirait depuis le jour où on l'avait capturé. Tiaré n'avait pas quitté son chevet.

Kaléa dilua dans un peu d'eau la substance âcre qu'elle

avait rapportée de chez le guérisseur, et approcha le remède des lèvres desséchées de Khalil.

– Je suis désolée d'avoir douté de toi, Khalil... chuchota-t-elle à son oreille. S'il te plaît... bois... bois !

Approchant son visage de la face émaciée du jeune homme, elle l'amena à se détendre et à entrouvrir la bouche.

– Bravo ! Voilà ! Continue à boire ! Ne me laisse pas maintenant, Khalil ! Je t'en supplie...

Le jeune homme toussa violemment, se retourna et sombra dans un sommeil profond.

39
Réveils

J'étais convaincu que c'était Khalil ! raconta
Naéhu, en entrecoupant ses propos de géné-
reuses cuillerées de soupe aux fruits de mer.
Ce soir-là sur la plage, il faisait presque déjà nuit et je
n'arrivais pas à voir de qui il s'agissait… Il gardait les
yeux fixés sur le bord de l'eau !

– Évidemment ! Il cherchait la voie engloutie, mais
sur la mauvaise plage, expliqua Kaléa.

Naéhu reprit son récit :

– Le deuxième jour, j'ai eu de sérieux soupçons…

– Pourquoi ne m'en as-tu pas parlé ? s'indigna Purotu.

– Parce que pour une fois je voulais m'en occuper
tout seul. J'ai donc décidé de le suivre en pirogue…

Réveils

– Une initiative très aventureuse pour un poète comme toi ! observa Kaléa avec une pointe d'amusement.

Purotu était bien d'accord.

– C'est alors que je me suis aperçu que l'homme n'était pas Khalil, mais le vainqueur de la pêche au Poisson d'or !

– Comment ne l'ai-je pas tout de suite compris ?! Ce maudit voleur de canne à pêche ! lâcha Purotu.

– Quand je me suis réveillé dans la grotte, il m'a expliqué pourquoi il ne m'avait pas tué. Il voulait que je vous transmette un message…

– Et c'est pour cette raison qu'il m'a conduit jusqu'à toi ! ajouta son frère.

– Oui, confirma Naéhu. Il voulait que vous sachiez que ce n'est que le début. Il retournera au royaume des Glaces pour récupérer le couplet de Nives et il s'emparera de *tous* les couplets. Il tient à vous informer que rien ne pourra l'arrêter et que le Vieux Roi, avec sa cour, se réveillera et reprendra les rênes des Cinq Royaumes !

– Laissons cela pour plus tard. Grâce au ciel, tu es revenu, c'est tout ce qui compte pour le moment ! conclut Kaléa.

Laissant ses frères déguster leur repas, elle alla voir Khalil Zaba, qui s'était réveillé.

Réveils

– Je sais que tu es là… murmura le jeune homme depuis son lit.

La silhouette de Kaléa se détacha de la porte et pénétra dans la chambre.

– Comment vas-tu ? demanda-t-elle d'une voix étranglée d'émotion.

– Mieux. Même si, dès que je bouge, je me sens un tantinet… abattu, répondit-il avec un rire nerveux.

– Pourquoi as-tu avalé ce poison ?

– Tu avais envoyé tes hommes m'arrêter. Mort ou vif.

Un silence pesant envahit la pièce.

– Je sais, j'ai commis une terrible erreur.

– Terrible, oui.

– Mais toi, tu m'as caché des choses à ton propos !

– De quoi parles-tu ?

– Tu connais la magie.

– C'est vrai. Mon amour des plantes m'a amené à découvrir certains secrets interdits. Je n'ai pas eu le courage de te l'avouer, je n'ai pas eu confiance… Je craignais que tu ne me chasses de ton royaume en l'apprenant. La première fois que je suis entré tout seul dans le labyrinthe, il m'a conduit à un passage secret entre les haies… D'ailleurs, toi non plus, tu ne m'avais pas révélé ce phénomène surnaturel !

La robe de Kaléa bruissa à travers la pièce.

– Tu as raison, moi non plus je ne me suis pas entièrement fiée à toi. Les passages secrets du labyrinthe sont eux aussi le fruit de la magie ayant subsisté après l'interdiction du Roi sage. Mais dis-moi, Khalil, pourras-tu jamais me pardonner ?

Le jeune homme attendit quelques interminables secondes avant de répondre :

– Sincèrement, je n'en sais rien. Tu es une fille dangereuse, Kaléa !

– Impulsive et bête.

– Fascinante et décidée !

– Tu me fais à nouveau la cour ?

– J'en serais bien incapable dans mon état. Je dis seulement la vérité.

– Je ne voulais pas que… les choses se terminent ainsi…

– Moi non plus.

– Mais elles ne sont pas terminées ! Quand cette sombre histoire prendra fin, qu'il n'y aura plus l'ombre d'une menace et que la paix sera revenue… nous pourrions recommencer à zéro ! suggéra la princesse.

– Recommencer quoi ?

– Toi à me courtiser et moi… à te faire des confidences !

– Je ne veux pas connaître tes secrets, Kaléa.

Réveils

Se rapprochant, elle lui souffla aussi doucement que le vent dans les feuilles :

– Pourtant il y a une chose que j'aimerais que tu saches…

Puis elle chuchota quelque chose à son oreille.

– Kaléa… s'exclama-t-il en tentant de la retenir, mais elle échappa à ses mains maladroites comme pour le taquiner.

– À présent, repose-toi. Nous nous verrons plus tard. Nous aurons alors tout le loisir de mieux nous connaître et de passer du temps ensemble !

Elle le salua d'un petit éclat de rire et s'éloigna prestement, courant presque de bonheur.

40
Le secret du labyrinthe

L a nuit était déjà très avancée. Tout le monde était allé se coucher, sauf le prince des Glaces et Kaléa, demeurés seuls dans la salle du trône. Tous deux savaient que, malgré leur fatigue, ils n'auraient pas fermé l'œil. Trop d'émotions, d'inquiétudes et de pensées se bousculaient dans leur tête.

– Je suis très heureuse du bonheur que vous partagez avec Nives ! déclara Kaléa, émue.

Le prince sourit.

– Votre sœur est une personne exceptionnelle. Cela fait longtemps que je l'aime et je suis très heureux de vivre à ses côtés.

– Je crois comprendre ce que dont vous parlez… soupira la princesse.

Le secret du labyrinthe

– Pendant un bon moment, Nives n'a tout simplement pas eu envie de prendre un époux, avoua le prince, amusé.

– Déjà toute petite, elle disait qu'elle ne se marierait jamais !

– Heureusement, elle a changé d'avis quand elle a découvert l'homme que j'étais. Mais… elle a toujours un caractère très indépendant, comme vous le savez.

– Le temps passant, je ne suis plus sûre de le savoir. Ah, comme mes quatre sœurs me manquent ! C'est trop triste de vivre ainsi séparées, même si nous sommes bien obligées d'accepter cette situation pour le salut des Cinq Royaumes.

– Kaléa, je pense qu'il faut que cela change ! Vous courez toutes un risque énorme. Notre ennemi a dit lui-même que rien ne l'arrêtera. Et maintenant qu'il est parvenu à s'emparer d'un couplet, il fera tout pour obtenir les autres.

La princesse frissonna.

– Il faut prévenir chacune de vos sœurs. Et vite, avant qu'il n'ait le temps d'agir !

Le prince des Glaces avait raison. Elles étaient toutes en danger.

– Comment savoir laquelle sera la prochaine ?

– C'est impossible… Espérons que nous aurons de la

chance ! Comme vous le voyez, je suis arrivé ici trop tard. J'ai envoyé des messagers dans chacun des royaumes, mais j'ignore s'ils ont pu délivrer mes missives.

– Vous en avez déjà beaucoup fait, lui assura Kaléa.

– Détrompez-vous ! Pour l'instant, nous ne savons rien de lui : où il vit, quel est son nom, combien de sorts il connaît et lesquels. Mais il faut bien commencer quelque part, non ?

– Si, bien sûr.

Elle scruta les yeux si limpides et francs du prince. Cet homme lui donnait de la force et de la sérénité.

– À ce propos, il y a peut-être une chose que vous devez apprendre…

– Quoi donc ?

La princesse sentit un long frisson lui parcourir le dos. Passant outre, elle murmura :

– Il s'agit d'une chose interdite, qui se trouve au cœur du labyrinthe.

– De quoi parlez-vous ?

– Ce n'est peut-être guère plus qu'une légende, voyez-vous… Enfin… quand les Cinq Royaumes n'en formaient encore qu'un… il existait des passages… permettant de circuler rapidement d'une province à l'autre.

– Des passages magiques ?

Le secret du labyrinthe

Lentement, Kaléa opina de la tête.

– Oui, et il y en a un dans l'une des haies du labyrinthe, au bout d'une allée qui semble être un cul-de-sac. Certains jours, on entend même de lointaines voix venant de l'autre côté.

– Où débouche-t-il ?

– Dans le royaume du Désert.

– Montrez-moi ce passage !

Repensant à la dernière fois qu'elle était entrée dans le labyrinthe, Khalil à ses trousses, Kaléa eut un moment d'hésitation.

– Ne prévient-on personne ? s'enquit la princesse.

– Nous allons juste le voir.

– Vous ne voulez pas l'emprunter, n'est-ce pas ?

Le prince ne répondit pas.

– Comme j'ai promis de ne jamais mentir, je ne vous tromperai pas. Si ce passage existe et fonctionne toujours, je veux l'utiliser tout de suite, quitte à braver l'interdiction de recourir à la magie. Votre père l'a bannie pour sauver le royaume ; si l'on veut servir la même cause, il faut aujourd'hui enfreindre cette règle. Vous n'êtes pas tenue de venir avec moi. Emmenez-moi simplement au bon endroit.

La princesse ne savait quel parti prendre.

Le secret du labyrinthe

– Parfois, le labyrinthe est différent de ce qu'il paraît. Ses fleurs changent et il devient un lieu dangereux.

– Alors écrivez une courte lettre à vos proches et dites-leur de ne pas s'inquiéter pour vous.

La princesse acquiesça. Elle prit une grande feuille de parchemin, une plume d'oie et de l'encre, et rédigea un bref message à l'intention de Purotu, de Naéhu et de Khalil. Elle ne pouvait quitter Fleur d'oubli sans les en avertir.

Mes très chers,

Un grave danger menace notre bien-aimé royaume. Je dois partir afin de tout mettre en œuvre pour le sauver. Ne vous inquiétez pas pour moi, je ne tarderai pas à rentrer. À vous, Purotu et Naéhu, je confie le royaume des Coraux en sachant que vous vous montrerez à la hauteur. Quant à toi, Khalil, je te prie de m'attendre. Je te demande seulement, une fois encore, de croire en moi et en mon amour. À mon retour, je rétablirai l'harmonie sur mon territoire et dans nos cœurs. Ce n'est qu'alors que nous pourrons être heureux.

Avec la conviction que notre avenir sera pacifique et serein, je vous embrasse.

Votre Kaléa

La jeune fille glissa sa lettre dans une enveloppe, qu'elle posa sur son trône.

Le secret du labyrinthe

– Et Haldorr ? L'emmenons-nous ?

– Il a déjà dû supporter deux longs voyages, et ce soir il était épuisé.

– Vous avez raison. Il sera mieux ici, où il pourra aider mes frères.

– Peut-on y aller ?

– Suivez-moi ! répondit Kaléa.

La princesse sortit lentement. Puis elle se retourna pour contempler une dernière fois Fleur d'oubli : le palais baignait dans la lumière diffuse des étoiles. Comme elle aimait cet endroit : c'était chez elle ! Si le voyage au royaume de Samah se révélait plus long que prévu, il lui manquerait.

Mais qui sait… peut-être rencontrerait-elle vraiment ses sœurs… À cette pensée, elle ressentit une grande joie, même si elle ne savait à quoi s'attendre exactement.

Elle sourit au prince des Glaces pour lui faire comprendre que tout allait bien et franchit l'entrée du labyrinthe. Elle s'engagea avec assurance dans ses allées toutes semblables, suivie par le prince, que l'insolite beauté du jardin émerveillait. La princesse finit par s'arrêter devant un mur de fleurs. On ne pouvait aller plus loin.

– Nous y sommes, annonça-t-elle.

Kaléa s'avança vers l'un des angles que formait la

haie. Le prince lui emboîta le pas. Les plantes dégageaient un parfum si intense que la jeune fille en était presque étourdie.

– Vous entendez? dit Kaléa en approchant l'oreille des fleurs.

Le prince l'imita.

– Hé, cousin! perçurent-ils.

– Cousin, viens vite… Il s'est passé une chose terrible!

Le cœur rempli d'émotion, la jeune fille serra très fort la main du prince d'Arcandide : c'était la voix de sa sœur Samah !

Le prince des Glaces n'arrivait pas à en croire ses oreilles.

– Ces voix viennent… vraiment du royaume du Désert ?

Kaléa opina.

– C'est ce qu'on m'a toujours raconté.

Le secret du labyrinthe

Écartant quelques tiges, elle dégagea une trouée dans laquelle elle se glissa, soulevant un vaporeux nuage de pétales colorés. Le prince s'empressa de reprendre sa main et passa dans son sillage.

Après un temps qu'ils ne parvinrent pas à déterminer, ils se retrouvèrent derrière un buisson touffu, qui faisait partie d'un merveilleux jardin avec des cactus en fleurs. Il faisait grand jour et on n'entendait plus aucune voix. Seul un bruissement d'eau qui coule résonnait parmi les plantes.

Kaléa et Gunnar échangèrent un regard avant de se lancer à la recherche de Samah, la princesse du royaume du Désert.

À Fleur d'oubli, dans l'ombre du labyrinthe, la silencieuse Tiaré sourit. Puis, balayant du bas de sa longue robe les empreintes que les deux voyageurs avaient laissées sur le sable, elle les effaça pour toujours. Le passage caché au creux du labyrinthe était bien trop précieux pour risquer d'être exposé aux regards indiscrets. Maintenant que le royaume était menacé, il fallait redoubler de prudence.

Hochant la tête pensivement, Tiaré songea qu'elle défendrait ce secret au prix de sa vie, s'il le fallait.

À présent, il nous faut quitter le prince des Glaces et Kaléa.

Je sais que vous êtes impatients de connaître la suite, mais, comme vous l'avez constaté, les histoires empruntent souvent des voies inattendues et s'enchevêtrent les unes aux autres. L'avenir délivre toujours des explications, laissons-lui simplement le temps d'arriver.

Vos têtes doivent fourmiller de questions. Qui donc trouva le message de Kaléa ? Et que se passa-t-il à Fleur d'oubli après son départ ? Pour le moment, voici tout ce que je puis vous dire : après une nuit de repos, Naéhu se réveilla plein d'énergie et décida de prendre un solide petit déjeuner. En traversant la salle du trône, il trouva la lettre de sa sœur. Il contempla un moment son portrait suspendu au mur et lui adressa une pensée tendre. Aussitôt après, il transmit l'information à tout le palais.

Comme vous pouvez l'imaginer, Purotu se vexa de ne pas avoir été convié à cette expédition. Mais Émiri lui fit remarquer que quelqu'un devait forcément rester pour prendre les décisions à la place de la princesse. Or, comme il n'y avait pas d'autre descendant ou parent de la lignée royale au royaume des Coraux et que Purotu avait toujours été considéré comme le premier né des jumeaux, c'était à lui qu'incombait cette responsabilité. Bien évidemment, dès lors qu'il s'agissait d'assumer la charge temporaire de prince des Coraux, Purotu ne se fit pas prier !

Quant à Khalil Zaba, il comprit, à la lecture du message, que bien du temps passerait avant qu'il ne revoie sa belle. Repensant aux mots qu'elle avait chuchotés à son oreille avant de partir, il les conserva précieusement au fond de son cœur. Dès que ses forces le lui permirent, il se rendit sur l'atoll du guérisseur et remit sa cabane en état. De nombreux pêcheurs passant au large de l'île dirent l'avoir vu assis sur la plage, plongé dans le Livre de l'Invisible pour en apprendre les secrets. Mais Dieu sait combien de légendes, invraisemblables et farfelues les pêcheurs inventent…

Les habitants du royaume continuèrent à mener leur vie de tous les jours, afin qu'à son retour la princesse trouve le royaume tel qu'elle l'avait laissé. Mais souvent leurs cœurs se tendaient au-delà de l'horizon infini de la mer pour se rapprocher d'elle, tout au moins par la pensée.

Si vous vous demandez ce qu'il en fut d'Haldorr, eh bien… la réponse est très simple. Il alla retrouver ce qu'il chérissait le plus : les livres ! Il se fit escorter par Garcia jusqu'à l'île de la Lune et gravit la falaise jusqu'au phare. Il frappa à la porte en bois rouge et Moéa lui ouvrit en s'exclamant :

– Enfin ! Je pensais que vous ne viendriez plus !

Les aventures d'Haldorr et de Moéa font partie de celles dont peut-être, je dis bien peut-être, vous entendrez à nouveau parler. Mais armez-vous de patience, car les histoires les plus belles sont souvent les plus compliquées. En attendant, faites preuve d'imagination et surtout de cœur afin d'aider Kaléa et le prince des Glaces à arrêter le Prince sans Nom. Ayez une pensée pour Nives, restée seule dans le glacial Arcandide, et préparez-vous à connaître Samah, la princesse du Désert.

Vous l'apercevez ? Elle est juste là, dans la cour, en train d'appeler son cousin adoré. Mais attention, je vous recommande de bien vous tenir, car elle déteste les mauvaises manières.

Téa Stilton

TABLE

SECONDE PARTIE

Cet ouvrage a été composé par IGS-CP
à L'Isle-d'Espagnac (16)